Diplômée en anci_____nce
très tôt une carriè_____rite
que pour la radio_____eurs
romans dont *La Folie du roi Marc*, *La Passion selon Juette* (prix
Laurent-Bonelli) ou encore *Le roi disait que j'étais diable*, vendu à
plus de 60 000 exemplaires.

CLARA DUPONT-MONOD

La Révolte

ROMAN

STOCK

« Ton esprit est comme un mur battu par la tempête.
Tu regardes autour et tu ne trouves pas de repos. »

*Lettre d'Hildegarde de Bingen
à Aliénor d'Aquitaine,* XIIe *siècle.*

Dans les yeux de ma mère, je vois des choses qui me terrassent. Je vois d'immenses conquêtes, des maisons vides et des armures. Elle porte en elle une colère qui me condamne et m'oblige à être meilleur.

Ce soir, elle s'approche. Sa robe caresse le sol. À cet instant, nous sommes comme les pierres des voûtes, immobiles et sans souffle. Mais ce qui raidit mes frères, ce n'est pas l'indifférence, car ils sont habitués à ne pas être regardés ; ni non plus la solennité de l'entretien – tout ce qui touche à Aliénor est solennel. Non, ce qui nous fige, à cet instant-là, c'est sa voix. Car c'est d'une voix douce, pleine de menaces, que ma mère ordonne d'aller renverser notre père.

Elle dit qu'elle nous a élevés pour cela. Qu'elle nous a fait grandir ici, en Aquitaine et non pas en Angleterre, pour nous apprendre la noblesse de sa lignée. D'ailleurs, ne m'appelle-t-on pas Richard Cœur de Lion ? Le temps est venu de s'affirmer. Elle rappelle que, à notre naissance, elle a demandé aux troubadours de chanter une légende. Chaque enfant a la sienne. Elle nous explique que dans cette salle du palais de Poitiers, là où nous nous trouvons, où nous avons appris à marcher, l'esprit de notre arrière-grand-père nous insuffle sa force. Vous avez entendu ses poèmes, dit-elle, et ses exploits. Alors, mes fils, vous êtes armés. Vous avez quatorze, quinze et seize ans. C'est le moment.

Nous connaissons ces mots. Ils coulent dans nos veines. Henri, Geoffroy et moi obéirons, chacun pour des raisons différentes. Mais nous sommes liés par une certitude : on peut menacer Aliénor. On peut la défier et même se battre contre elle. Mais la trahir, jamais. Et peut-être que mon père le savait, au fond. Peut-être voulait-il toucher sa femme en plein cœur. Cette idée glace nos pays. Car, dans ce cas, ce n'est pas une vengeance personnelle qu'il nous faudra affronter. C'est le choc de deux monstres prêts à s'entre-tuer. Et nous, leurs enfants, serons des jouets entre leurs pattes.

Ma mère est une femme sûre d'elle. Je lui fais une confiance absolue. Elle doit cette assurance à sa naissance, puisqu'elle est duchesse d'Aquitaine, élevée dans le luxe et les livres, nimbée du souvenir de son grand-père, le premier poète. Pour elle, la soie et le savoir ne font aucune différence. Très tôt, elle a géré ses fiefs d'une main ferme. Les rébellions des seigneurs, les récoltes, le tracé des frontières, le règlement des litiges… Aliénor aime gouverner et connaît chaque ruelle du plus petit village de son Aquitaine. Car elle porte sa terre comme un bijou fondu dans sa peau. Un bijou puissant : l'Aquitaine, cela signifie un territoire immense et riche, qui s'étend du Poitou à la frontière espagnole en débordant sur le Limousin et l'Auvergne. Le seigneur d'une telle contrée est bien plus puissant que le roi de France. Je sais que cela peut paraître étrange mais, à cette époque qui est la mienne, un noble peut avoir plus de pouvoir qu'un monarque si ses terres sont plus vastes. C'est pourquoi le roi de France, Louis VII, se devait d'épouser Aliénor. On la lui présenta. Il tomba fou amoureux d'elle.

Il avait quinze ans, elle en avait treize. Il avait le cœur pur, mais la pureté n'a jamais convaincu Aliénor. Elle fut reine de France et, pendant quinze ans, s'ennuya beaucoup. Elle ne donna aucun héritier à Louis. Elle aimait la littérature, lui les Évangiles ; elle demandait des fêtes et des guerres, il voulait la paix et le dialogue. Elle croit au pouvoir, lui à Dieu.

Elle se débrouilla pour annuler son mariage avec Louis – ce qu'aucune reine ne fait, jamais, pas plus qu'une épouse ne lance l'offensive contre son mari, mais c'est ainsi, ma mère inaugure. Ce ne sont pas des mots d'enfant éperdu, non, ses décisions et gestes sont sans passé, sans référent, et je finis par croire que cette série de «premières fois» trahit une lointaine envie d'innocence.

Après son départ, elle a jeté son dévolu sur un

homme de onze ans son cadet, Henri Plantagenêt. Il avait besoin de cette Aquitaine grande comme un pays. Il devint roi d'Angleterre, ma mère fut à nouveau reine. Cette fois, elle fit beaucoup d'enfants, dont Henri, Geoffroy et moi.

Le résumé ressemble à un beau vitrail d'église. Un couple royal flamboyant, à la tête d'un empire qui englobe l'Angleterre et l'Aquitaine, des héritiers vaillants… Un équilibre des présences, avec mon père plus souvent en Angleterre, ma mère en Aquitaine, et nous, les enfants, habitués aux allers-retours. Mais aussi une faille. Invisible sur l'image officielle, si profonde que s'engouffrèrent en elle la violence, la rancune et la haine.

Car ma mère pensait garder la mainmise sur son Aquitaine. Ici s'est joué un contrat avec mon père. Par son mariage, elle lui apportait ses terres, dont l'étendue consacrait une réelle puissance; en retour, il laissait ma mère autonome, n'interférait pas dans la gestion de ses domaines, et même, puisqu'elle aimait tant le pouvoir, l'associait à la gouvernance de l'Angleterre. C'était un échange juste. Au fond, ces deux êtres exceptionnels n'ont pas été épargnés par la mécanique tristement banale du commun des mortels qui consiste à être trahi d'abord, à se venger ensuite.

Portée par son assurance, par cette certitude qu'elle tirerait le meilleur du sort, ma mère a cru épouser un être inoffensif. Mais, très vite, le Plantagenêt a tout confisqué. Il a traité l'Aquitaine comme l'Angleterre, en royaume conquis. La monnaie, la justice, la langue, les lois du commerce et de la pêche, le tracé des forêts : il a tout changé selon ses désirs, ignorant la révolte montante. Les seigneurs aquitains l'ont immédiatement détesté. Mon père n'en avait cure. Il s'est révélé autoritaire, despotique, gourmand. Ma mère n'était qu'un ventre, gros quasiment chaque année.

Comprenant son erreur, ma mère a tablé sur le couronnement de son fils aîné, appelé, comme mon père, Henri. Elle a pensé qu'elle pourrait un peu régner à travers lui, recouvrer ses pleins droits. De nombreux monarques, autour de nous, ont pris cette habitude de couronner un fils afin d'assurer la continuité de leur dynastie. Ils l'initient à l'exercice du pouvoir, le légitiment aux yeux du peuple. Cela se fait en bonne intelligence entre père et fils. Le Plantagenêt a joué le jeu, il a donc fait couronner Henri… mais ignore sa présence. Là encore, il a trompé. Il reste le seul maître. Il refuse de passer la main. Il appartient à cette race étrange d'hommes sans cesse entourés mais qui, pourtant, sont seuls. Il n'a pas entendu la colère des barons spoliés ni la nôtre. Il veut soumettre chacun à sa volonté, à commencer, bien sûr, par cette Aquitaine que ma mère lui a apportée par le mariage. Le Plantagenêt redessine tout un monde, à sa gloire. Mais ce monde compte aussi Aliénor.

Aujourd'hui, cette vengeance occupe ma mère

tout entière. Depuis qu'elle nous a annoncé le renversement du Plantagenêt, elle arpente la grande salle de Poitiers. Aliénor marche. Elle avance en général des armées. Sa longue ceinture de cuir rebondit contre sa robe. Comme elle maîtrise plusieurs langues, je vois passer les messagers venus de loin, les émissaires, les ralliés du dernier instant. À ses pieds, on pose des coffrets remplis de pièces que les croqueurs mordent pour vérifier qu'il s'agit bien d'or. On parle bas. Les poètes n'osent plus répéter dans leurs chambres.

Je surprends ma mère à l'aube, devant la table de la grande salle. Le matin tend ses cordes de lumière depuis les fenêtres. Aliénor se tient entre deux rais poudreux, suspendus entre sol et plafond, qui semblent répondre aux lignes que ma mère dessine sur une carte. Voici l'empire de mon père, de la mer du Nord aux Pyrénées. Il n'y a pas plus puissant que lui.

Les bracelets d'Aliénor tintent contre le bois. Elle compte les points de ralliement, calcule les distances. J'aperçois ses poignets minces recouverts de soie, le bombé d'un voile qui couvre son chignon et descend sur son dos. Alors un souvenir surgit. Je vois ce même profil penché sur nos lits d'enfants. De cette silhouette s'élevait une histoire propre à chacun de nous. Sa mélodie s'étirait jusqu'aux poutres des salles, au plus profond des vallées d'Aquitaine, elle mêlait les jours de neige aux soirs de Saint-Jean, les berceuses aux départs en guerre.

14

Les années ont passé mais ces histoires chantées tout bas ont tenu, accrochées à nos cœurs, talismans de voix et d'images, nées d'un visage que j'observe ce matin et qui offre toujours le même front soucieux, la pointe de longs cils.

Ma mère ne sait pas que je l'observe. Elle est une offensive à elle seule, corps tendu, à demi penché, tout entier concentré vers l'assaut. Enfants, nous savions déjà son amour ramassé en une force prête à jaillir, et cela nous apaisait.

Elle se redresse. Je manque sursauter. Comme d'habitude, je sens fondre sur moi un mélange de terreur et de force. Elle me fait signe d'approcher. Je sais ce qu'elle me dira. Quand elle m'adresse la parole, c'est uniquement pour envisager le jour de la bataille. Elle me parlera de mon père. Voilà des années qu'il l'obsède et habite sa haine. Lors des apparitions officielles, malgré la cour, malgré la foule, elle n'a toujours regardé que lui, le Plantagenêt. Ses grands yeux gris ne me voyaient plus. Alors j'ai honte mais, parfois, j'aimerais qu'elle me haïsse aussi.

Inutile d'attendre des mots d'amour. Ma mère n'en a jamais prononcé. Cela ne m'attriste pas. Mon époque ménage les mots. Elle les respecte trop pour en abreuver les foules, les utiliser à tort et à travers. Viendra bien un jour où l'on parlera tellement qu'on ne dira plus rien. Mais ici, c'est encore un geste d'engagement. Le verbe est si précieux qu'il décide de la vie ou de la mort. Le chevalier respecte la promesse faite à la dame, dût-il y laisser ses jours ; le seigneur obéit au serment ; la paix et la guerre se décident d'une phrase. La parole est tenue. Voilà pourquoi Aliénor ne nous a jamais dit de mots tendres. Elle en connaît trop la valeur pour les galvauder. De façon générale, ma mère ne baisse pas la garde. Elle se tient au bord d'elle-même, méfiante, tendue, et n'invite personne à entrer.

Alors elle parle autrement. J'ai appris que, à chacun de mes entraînements, elle convoque le moine apothicaire. Il prépare pommade de sauge, emplâtre de verveine, onguent de bardane et autres remèdes, à l'efficacité immédiate, au cas où je serais touché. Pour mes sœurs, ma mère fait venir des rubans de Bagdad, dont la mousseline est si légère qu'elle se fond dans leurs cheveux. Mon frère aîné organise une chasse ? Il trouvera une selle neuve, au cuir frais, préparée pour lui dans la nuit. Voilà les tendresses de ma mère, non pas des mots, mais des actes cachés.

Sa plus grande déclaration fut donc un geste. Elle m'a offert son Aquitaine. Consciente de la menace que mon père faisait peser sur elle, Aliénor me l'a transmise. À ma charge de la défendre et de l'honorer. J'avais quatorze ans. Je suis entré dans l'église Saint-Hilaire à Poitiers. Les arcades me protégeaient de leurs bras blancs. L'évêque m'a remis l'épée, glissé l'anneau au doigt et a attaché mes éperons. Je devenais duc d'Aquitaine. J'ai prononcé le serment à genoux, d'une voix forte : «Relève ce qui est détruit, conserve ce qui est debout. » Je me suis senti immensément heureux. C'était dans l'ordre des choses et je m'y inscrivais. Ma mère m'offrait une place.

Ensuite elle m'a raconté son royaume. Elle voulait marquer la différence avec l'Angleterre. «Berceau où tu es né, Richard. Mais terre sans âme, de pluie et de misère. Personne ne sait lire là-bas. »

En Aquitaine, les morts se dressent sur les sentiers, les fontaines peuvent bouillir en restant froides. J'ai appris les croyances. On porte une pierre des marais accrochée en collier. Il faut manger les fruits sous l'arbre, c'est une façon élémentaire de le remercier. L'Église a beau arpenter les campagnes, pour les gens d'ici, la couleur du ciel a autant de valeur qu'un prêche. On aime la nature au point de la lire. Maintenant je sais regarder l'écorce du tilleul, à quel moment l'on pourra extraire la teille qui fabriquera une corde de puits. Je reconnais aussi les sons des cloches, qui portent des prénoms. Attaquer son voisin est un loisir quotidien, quand ce n'est pas la royauté elle-même : les Aquitains ont la révolte dans le sang. J'ai maté ceux qui contestaient l'autorité d'Aliénor – puisque je ne sais faire que ça, la guerre. J'ai apposé son sceau avec la fierté naïve des enfants qui se savent choisis.

Et de toutes ces couleurs, il ne reste qu'un plan de bataille.

Parfois je parviens à prendre du recul. Disséquer le désastre. Je me pose des questions. Survit-on à la décision de tuer un père ? Et pourquoi le mien a-t-il tant privilégié son désir au détriment du nôtre ? Quel intérêt avait-il à dresser sa famille contre lui ? Car la voilà, l'ironie : le ressentiment soude la famille. Jusqu'à présent, mon frère aîné et moi, nous partagions si peu. Moi, l'impulsif, et Henri, le hautain… Moi qui n'aime que les filles de passage, les combats, la solitude. Lui qui veut épouser une princesse, préfère les discussions aux armes et adore parader avec sa cour… Un détail résume toutes nos différences : j'aime la chasse au sanglier, qu'Henri méprise. Il préfère le cerf, l'animal des rois. Mais le sanglier a beau être sale et laid, ses pieds tordus, reste qu'il faut le combattre au corps à corps, souffle contre souffle. On l'accule avec des chiens, mais l'assaut final se fait au sol, à égalité. On ne verra jamais un sanglier refuser la lutte, contrairement au cerf, peureux, qui renonce et se laisse tuer. Chaque fois que j'ai ramené un sanglier de la chasse, Henri a refusé de manger sa viande.

Il m'a toujours regardé d'un peu haut, comme si la violence était sale, tenu droit par la certitude d'accéder un jour au trône. Ma mère, consciente de nos différences, a pris les devants. Elle m'a fait grandir avec un autre garçon, un colosse nommé Mercadier. Lui, je l'ai vu dix fois esquiver les coups furieux des sangliers… De petits yeux rapprochés qui semblent flotter dans un large visage, une énorme mâchoire, de longs cheveux crasseux et des mains de la taille d'un battoir : Mercadier est une créature de conte qui me réconcilie avec le genre humain. C'est un enfant abandonné. Il a été trouvé, nourrisson, enveloppé dans un cocon de paille, devant la porte du palais de Poitiers. Ma mère y a vu un signe du destin. Pariant sur sa carrure et sa bonhomie, elle a vu juste. Mercadier est le frère dont je rêvais. Depuis toujours, il se tient dans mon sillage, vigilant, fripon, bagarreur comme personne. Sa gratitude garantit sa loyauté. Avec lui, j'ai pu connaître le partage et l'affection. Cela me convenait. J'avais Mercadier, brave et fidèle comme Henri peut être méprisant et frivole.

Je me souviens de mon frère un soir de Noël, en Angleterre. Nous avions une dizaine d'années. Le château était illuminé de bougies. Les ombres s'étiraient en formes molles rampant vers le haut des murs tandis que la cour défilait lentement pour nous rendre hommage. Mon père, qui déteste les cérémonies, acceptait les courbettes des seigneurs tout en se demandant lequel d'entre eux il attaquerait en premier. Henri se tenait immobile, figé dans sa chemise striée d'or, petit souverain de pacotille qui, de temps à autre, jetait un œil vers mon père pour prendre une leçon de maintien. C'était à la fois tendre et pathétique. Henri toisait ; mon père se tenait droit. Il était suffisant ; mon père, sûr de lui. J'avais sous les yeux toute la différence entre la domination et le règne, dont je me détournai vite,

cherchant du regard la grande silhouette de Mercadier, debout dans une flaque d'ombre, accablé
d'ennui.

Mais depuis, ligué contre mon père, Henri s'est
rapproché. Maintenant, il me soumet des armes,
parle de manœuvres, sollicite mon avis. Il ne me
juge plus. Je sens sa peur, tapie sous la prestance. Je
l'ai vérifié bien des fois, il n'y a pas plus dangereux
qu'un homme humilié. C'est un conseil de ma mère :
« Tue ou laisse la vie. Mais ne blesse pas. Un homme
blessé devient un animal dangereux. »

Car, si j'ai l'Aquitaine, mon frère ne possède rien.
Il a été sacré roi d'Angleterre, il s'est marié avec une
princesse, et… il ne peut pas gouverner. Mon père
ne lui cède rien. Toute l'Europe rit de lui. Dans
les tavernes, sur les ports, des chansons le raillent.
Comment être crédible quand une couronne sert
de jouet ? Mon père le prive non seulement de
pouvoir, mais aussi de respect. Alors, pendant des
années, Henri a cuvé sa rancœur loin d'ici. Il tenait
sa propre cour à Bonneville-sur-Touques, en Normandie. Enfin, une cour… Plutôt une orgie. Il n'a
aucun revenu personnel, puisque mon père le lui
refuse, alors il piochait dans les caisses royales. Évidemment, les courtisans pullulaient et se régalaient
d'immenses banquets. Il a fallu que ma mère rappelle Henri à l'ordre pour qu'il revienne à Poitiers.
Elle savait, depuis toujours, reconnaître les chagrins
en forme d'insolence.

Il y a longtemps, j'ai surpris Henri accroupi au

bord d'une mare, occupé à s'enduire la tête de boue. Il est celui qui ressemble à notre père, le visage carré, les cheveux roux, les lèvres fines, scellées en une expression d'amertume. À genoux au bord de l'eau, il prenait de larges paumées brunes. La mélasse s'étalait sur son crâne, tombait par paquets sur ses épaules. Il grognait comme un pourceau. J'avais passé mon chemin.

Mais je dois rester honnête. Malgré les rapprochements liés à la révolte, notre fratrie reste un groupe de solitudes. Nous sommes sept enfants. Sept frontières. Je me sens proche de Mathilde, l'aînée des filles, mais je la connais mal. Nous avons été élevés en nous méfiant les uns des autres, dans l'attente d'un signe paternel. Nous n'avons rien obtenu, sauf le petit dernier. Jean est arrivé presque par effraction, le soir de Noël, dans le palais glacial d'Oxford. Ma mère avait passé la quarantaine. Désormais, nous étions quatre fils. Contre toute attente, mon père l'a immédiatement chéri. Il lui a même enveloppé la tête d'un bandage pour éviter les bosses ! Personne n'avait encore jamais vu le Plantagenêt s'occuper autant d'un enfant. Jean a été le petit roi. C'est pourquoi nous le détestons.

Nous aurions dû grandir serrés les uns contre les autres. Henri aurait pu m'apprendre à tenir les finances, j'aurais aidé Geoffroy à polir sa dague, tendu à mes sœurs leurs miroirs. Surtout à Mathilde, née un an avant moi, Mathilde et son dos droit, ses poignets pâles, si semblable à ma mère, et qui, un soir, avait plaqué ses mains contre mes oreilles pour m'éviter le bruit assourdissant du tonnerre – petit, je voulais me battre contre l'orage. Elle s'était penchée sur moi. Elle connaissait mes sursauts de hargne et murmura ma chanson de naissance. J'avais humé ses cheveux et reconnu le parfum du lis. Ma mère en recouvrait le sol de nos chambres.

Du Plantagenêt, nous n'avions rien, sauf l'estime de l'épée. L'épée ne trahit pas, voilà pourquoi elle est ma seule amie. Au-dessus de nos têtes planait l'idée que, un jour, nous prendrions la relève de notre père, et pourtant nous connaissions à peine son visage. Nous sentions la haine monter envers lui. Les grands barons d'Aquitaine, attroupés autour de ma mère, parlaient à voix basse. Les seigneurs défilaient à la cour, ils réclamaient à grands cris d'être reçus par le roi immédiatement car il avait redessiné les frontières de leurs domaines. Mais le roi n'était pas là. Sans cesse parti sur les routes, il arpentait son royaume pour le mettre au pas. Nous, les fils, devions être à la hauteur d'un modèle absent. Prendre exemple sur un fantôme. Dans ce grand flou en forme d'avenir, ma mère était un repère. Son statut de reine l'obligeait à changer souvent de résidence, en Angleterre ou en France, à Caen, Niort, Falaise, Poitiers, mais elle nous emmenait toujours. Elle a veillé sur nous.

Pas la moindre parole tendre, je l'ai dit, ni non plus de caresses. Très tôt, nous avons senti que, pour ma mère, le bonheur s'accompagne toujours d'une menace. Si elle n'a jamais enlacé ses enfants, c'est bien parce qu'elle craint leur disparition. Elle flaire le danger, tapi quelque part, la peur qu'on lui enlève ce qu'elle chérit. Ainsi vont les êtres abîmés. Mais l'amour s'échappe quand même. Un jour, j'ai demandé à ma mère pourquoi elle n'assistait jamais aux entraînements d'armes puisque j'y excelle. Et je sais le prix qu'elle accorde aux combattants. Elle a levé sa main, et, intuitivement, j'ai baissé le front. Peine perdue. Elle m'a dit : «Je peux tout voir, sauf ton sang.» Aliénor est là : en étreintes suspendues, promesses cachées sous l'esquive. Je voudrais l'étreindre mais, bien sûr, je ne fais rien. Je me contente d'écouter ces serments muets venus d'un cœur méfiant, et ce sont eux qui, maintenant, me donnent la force de raconter l'histoire.

Avant la révolte

Avril 1152. Il y a quinze ans. C'est jour de fête. Les Poitevins forment une ronde sur la place. Leurs voix s'élèvent, pleines d'allégresse, entament le premier couplet :

À l'entrée du temps clair,
Pour retrouver la joie et vexer le jaloux,
La reine veut montrer
Qu'elle est amoureuse...

Le refrain ondule jusqu'aux tours puis gambade à travers les ruelles, aussi souple et léger que les rubans des filles noués à leur taille. J'entends encore le claquement des mains au rythme du chant : «*Regina avrilloza ! Regina avrilloza !*»

Cette «reine d'un jour d'avril», c'est ma mère.

Elle vient de quitter le roi de France.

Dans les foires, au bord des puits, et loin d'ici, portée par des messagers hors d'haleine, commentée dans les salles des conseils royaux, diffusée dans les monastères, partout, la nouvelle frappe comme l'orage. Les puissants pincent les lèvres. Le peuple, lui, reconnaît l'audace. Il a toujours aimé Aliénor. On trinque à sa santé. On dit que ce mois d'avril 1152 restera comme celui de l'habileté faite femme. On l'imagine galopant dans la campagne, laissant derrière elle une capitale et un roi. Et c'est bien vrai. Aliénor a réussi à faire annuler son mariage, avec l'aval de l'Église. Elle abandonne Louis VII et son titre de reine. Aucune femme n'avait osé.

On murmure que Louis ne s'en remettra pas. Il a vécu recroquevillé dans l'espoir qu'elle le regarde. Il a bravé ses propres convictions. Et quel carnage ! Pour son épouse, Louis le croyant, le pur, a brûlé des innocents, ruiné une croisade, taché ses mains d'un sang noir. Et elle part cheveux au vent.

Ses conseillers lui cherchent une autre femme du côté de l'Espagne, mais Louis ne pense qu'à ma mère. Il prie chaque jour, dit-on, pour qu'il ne lui arrive aucun mal. Et ce, malgré la jalousie, malgré la présence rôdante de ce jeune homme qui n'a cessé de le défier, le Plantagenêt, duc de Normandie et futur roi d'Angleterre.

Il s'était présenté quelques mois auparavant à la cour. Il s'était incliné face à ma mère. Elle s'était raidie, soudain aux aguets. Son léger sourire ne trompa personne.

Louis avait tout compris. Il n'avait même pas tenté d'en discuter avec Aliénor. La nuit, il avait gardé les yeux ouverts. Il avait écouté le souffle régulier de sa femme. Il avait pensé à celui qui, bientôt, prendrait sa place. Sa défaite portera un nom de fleur. Le Plantagenêt est une masse trapue, une tête de lion, un redoutable combattant assoiffé d'ambition. L'exact contraire de Louis, grand, mince et blond, au regard doux.

Aliénor galope dans la campagne, à nouveau célibataire. Elle pense à ce Plantagenêt. C'est un peu tôt pour se remarier, elle vient de quitter le roi de France… Mais elle devine qu'il ira loin. Il est plus jeune qu'elle, et alors ? Il deviendra roi d'Angleterre, pour elle c'est évident. Sa décision est prise. Elle l'épousera. Il acceptera, bien sûr, puisqu'elle lui apportera son Aquitaine. L'avenir s'annonce heureux. Aliénor a trente ans. Elle agit comme elle veut. Elle n'est pas inquiète. Louis se remariera sûrement. Sa vie n'est plus liée à la sienne. Sa ville de Poitiers l'attend. Ses hommes d'armes l'accompagnent – où qu'elle aille, j'ai toujours vu ma mère entourée d'hommes. Louis le supportait mal. Mon père, lui, y est indifférent.

Dans les champs jaunes, les silhouettes des paysans se redressent et s'inclinent. Les carrioles se rangent. Aliénor chevauche comme un homme, ce que la cour parisienne lui a tant reproché. Son chignon cogne contre sa nuque et se défait lentement. Sa cape est gonflée d'air, retenue par une agrafe d'or. Elle fredonne un chant, quelque chose qui parle de soleil et de renaissance.

Elle veut s'arrêter à Blois. La ville s'apprête à fêter les Rameaux. Ma mère se réjouit. Durant ces années de mariage, aux côtés d'un Louis si pieux, son sang d'Aquitaine a failli s'assécher. Il réclamait la foule, la musique, les façades décorées. Il était malade de calme. Mais demain, ma mère se glissera au milieu des rondes et boira du vin. Elle essaiera de ne pas trébucher parmi les animaux, surtout les cochons – ma mère a une tendresse particulière pour cet animal, premier habitant de nos villes, qui fait partie des vies quotidiennes. On l'aime au point de lui prêter une âme et, parfois, de le juger devant un tribunal. De façon générale, ma mère adore les animaux. Elle reconnaît les oiseaux, s'assure toujours du confort de son cheval et garde une part d'un banquet pour les chiens. Sa fête préférée est celle de l'Âne, en plein hiver, lorsqu'il est conduit à l'autel d'une église, revêtu d'un manteau splendide, tandis que l'assistance brait… Puis on le sort de l'église en grande pompe, et la foule danse autour de lui, ignorant la réprobation du clergé, ce qui n'est pas pour déplaire à ma mère… C'est encore un âne qu'elle verra demain, à Blois, tiré par des gens heureux, le long des rues. Ils auront les joues râpées par les rameaux que chacun agite, la bouche pleine de chansons. De ma mère, je tiens le goût des auberges, des braillards et des corsages défaits. On me dit qu'il faut me marier. Mais je préfère les filles molles et douces des tavernes, touchées mille fois, qui tendent leurs verres en souriant.

Aliénor se dirige vers le château de Thibaut, comte de Champagne. Il lui a envoyé une invitation, cachetée d'un sceau qu'elle trouve terriblement arrogant. Elle a accepté, impatiente d'assister à la fête. Elle y passera la nuit.

La troupe s'approche. Soudain, Aliénor se fige. Il y a trop d'hommes armés au pied des enceintes. Elle perçoit la tension, la force ramassée avant le signal. D'où viendra-t-il ? Et pourquoi les soldats portent-ils leurs boucliers ? Sur leurs écus, s'étale le blason du comte, huit flèches disposées en étoile. La branche du haut pousse Aliénor à lever les yeux. Dans la muraille, une fente s'éclaire. Une silhouette s'est brusquement retirée des archères.

Aliénor s'engage lentement sur le pont-levis. Elle tâte discrètement la lame cousue dans la doublure latérale de son corsage. C'est une ruse héritée de son grand-père. (Je l'ai adoptée et perfectionnée. La lame jaillit sous la pression d'un poids. Si un ennemi se couche sur moi, il aura le cœur perforé.)

Elle arrête sa monture au milieu de la cour. Elle se tient là, les cuisses serrées sur les flancs du cheval, la taille droite, menton légèrement de côté. Son œil inspecte, fouille, darde les recoins de son intensité d'argent. Les faucons sont dehors pour les premières chasses d'avril. Bientôt on sortira le bétail né de l'hiver. Sauf… pointe l'œil d'Aliénor ; sauf la nervosité des chiens, et des soldats devant les fours à pain. Pas d'enfants, à croire qu'on les a rentrés. Pas de femmes non plus autour du puits. Contre les murs, aucune arme n'attend d'être graissée. La forge est éteinte. Aliénor repère l'écurie. Derrière les chevaux, une porte basse donne sur un pont de pierre étroit, puis c'est la campagne. Or la porte est barrée d'une large planche de bois. Aliénor fait signe à l'escorte de reculer. Au moment où le comte Thibaut surgit, souriant et les bras ouverts, elle fait demi-tour. Stupéfaits, ses hommes obéissent. On entend un grand hennissement, une bourrasque de poussière pique les yeux. Le sourire de Thibaut se fige. Il tente une phrase, se met presque à courir. C'est trop tard. Ma mère a lancé le galop.

Maintenant les ormes sont lourds de nuit. Dans la forêt, des hommes en cercle lèvent leurs torches. Un officier de Thibaut est agenouillé face à Aliénor, les yeux bandés. La pointe d'une épée touche son dos. Il raconte les plans du comte, qui voulait enfermer Aliénor pour qu'elle devienne sa femme. Elle avait vu juste. Car un seigneur peut capturer une femme et l'épouser de force, afin d'acquérir ses terres. Alors, que l'un d'eux veuille séquestrer Aliénor ne la surprend pas : elle possède le Poitou et l'Aquitaine. Des collines, des marais, des bords de mer, des vignobles : quiconque épouse ma mère épouse aussi ce rêve de royaume. Aliénor est une proie. Elle, le chasseur, se sait gibier. D'où son drame et sa colère.

Elle est prête avant l'aube. L'officier est laissé assommé, corps mou ficelé à l'arbre.

La nuit suivante, elle envoie un éclaireur. Lorsqu'il revient, il apporte une mauvaise nouvelle. Aliénor se fait coiffer tandis que ses chevaliers installent le campement. Le messager s'agenouille, commence à parler. Un autre piège sera tendu au confluent de la Vienne et de la Creuse. Qui veut capturer Aliénor, cette fois ? L'éclaireur baisse les yeux. Il s'agit d'un jeune noble de seize ans. De quelle famille ? Celle des Plantagenêt. Ma mère hausse les sourcils. Regard de granit, légèrement amusé. Il s'agit du frère cadet de son futur mari. L'adolescent voudrait donc enlever Aliénor, se marier avec elle, et prendre son aîné de vitesse. Elle éclate de rire. Non, elle ne rit jamais. Mais la situation doit certainement lui paraître cocasse.

Pour ma part, je n'ai jamais croisé cet oncle. Je n'y tiens pas. Mais il y avait là un signe. La lignée de mon père adore s'entre-tuer. Elle ressemble aux serpents fous que les enlumineurs dessinent dans le ventre des lettres. Ma mère m'a enseigné le maintien, la discipline, l'orgueil du clan. Celui de mon père ne respecte rien.

Aliénor décide de prendre vers le nord et de franchir la Vienne à gué. Elle cavale, saute les étapes. Le soir, on chante des poèmes autour du feu. Puis on monte les tentes de soie. Parfois, avant d'aller dormir, ma mère fait signe à un chevalier de la rejoindre.

Un jour, alors que les chevaux boivent, elle s'immobilise. Devant elle, des paysans avancent vers une ferme. Au milieu du chemin, ils se penchent et retournent les pierres. Puis reprennent leur marche et poussent la porte. Alors ma mère respire. Elle est sur ses terres. Elle en a reconnu les rites. Ici, lorsqu'on approche de la maison d'un malade, on retourne les pierres du chemin. Si un animal vivant se trouve dessous, le malade vivra. À en croire le pas gaillard des paysans, ils ont trouvé une chenille ou une fourmi. Ma mère ôte sa cape à l'agrafe d'or, charge un écuyer de l'apporter dans la ferme. Ce sera le cadeau du renouveau.

Les toits de Poitiers apparaissent enfin. La troupe s'arrête. On se regarde. Il y a de l'épuisement, de la gratitude et du courage. C'est un regard de voyageurs sans mémoire, de braves qui devaient atteindre une ville et se tiennent en son seuil. Ce regard, Aliénor le connaît, le donne et le rend. Personne ne remarque plus ses cheveux qui tombent lourds sur ses épaules, ses yeux rouges de fatigue, la couche ocre de poussière qui recouvre les vêtements.

Sur la route, une procession vient à sa rencontre. Elle chante les poèmes de son grand-père, Guillaume le Troubadour :

Puisqu'on voit de nouveau fleurir
Les prés, et les vergers verdir,
S'égayer ruisseaux et fontaines,
Brises et vents ;
Chacun doit donc goûter la joie…

On couvre Aliénor d'un dais brodé. On l'accompagne.

La ferveur monte. Les habitants se sont massés contre les murs. Les rues sont recouvertes de tapis. On agite des bouquets de fleurs – des lis, beaucoup, chacun sait qu'elle les aime. Des orchestres jouent ses airs préférés. Les chansons la désignent par « Mon seigneur », « Beau regard », « Noble dame » ou « Alouette » : à cet instant, un seul visage est à la fois conquête et femme-oiseau. On scande son nom. Aliénor oublie la fatigue et s'enivre de la fête. Elle touche des mains, attrape les paniers de fruits, caresse la tête des bébés qu'on lui tend. À l'autre bout de la place, elle aperçoit ses fidèles lieutenants au seuil du palais. Ils ne cachent pas leur soulagement. Elle est revenue. La liberté s'offre comme un vertige. Elle se promet de ne plus jamais la sacrifier.

Elle entre dans son palais comme on retrouve un vieil ami. Chacun de ses pas reconnaît la petite esplanade, la haute porte ovale, puis la cour. Elle passe devant la chapelle, les écuries, et gagne enfin l'imposante tour carrée – sa tour. Ses domestiques et ses soldats l'attendent, alignés, devant les deux battants ouverts. Aliénor entre et respire l'odeur du foin coupé mêlé aux fleurs de lis. Dans l'âtre crépite un feu face à l'immense table de chêne. Deux larges escaliers de bois se perdent vers le plafond. Des cuisines émane un parfum de volailles rôties.

Dans le calme de cette grande salle, un messager l'attend. Il a été envoyé par le roi de France. Louis voudrait savoir si tout va bien ; si leurs années ensemble ont compté, néanmoins ; et ce qu'elle projette maintenant. Il ne mentionne pas que, avec la séparation, Aliénor redevient duchesse d'Aquitaine, donc sa vassale. Elle doit obéissance et réponse au roi. Louis sait qu'elle n'en a cure, mais surtout il l'aime trop pour lui infliger ce rappel à l'ordre. Il sait aussi qu'elle pense au Plantagenêt. Mais, de cela non plus, il ne parle pas. C'est une lettre magnifique, de noblesse et de douleur retenue. Aujourd'hui, lorsque les hommes me déçoivent, je déroule ce message de Louis. Je l'ai conservé dans son étui de cuir, bien à l'abri au fond d'un coffre.

À aucun moment dans cette lettre, Louis ne fait allusion aux rumeurs qui le torturent. Il s'efforce d'y rester sourd. Car elles s'infiltrent partout, à la cour comme dans les tavernes. Elles parlent de la liaison que ma mère aurait entretenue avec… le père du Plantagenêt.

Les hommes d'Église hurlent au scandale. Louis en perd le sommeil et les courtisans le rassurent de leur fiel : « Vous n'avez rien perdu, Sire, comment appelle-t-on une reine qui a couché avec son futur beau-père ? Une putain, une diablesse, une femme ? Un être maudit, rejeté par Dieu. D'ailleurs n'a-t-elle pas été punie par sa stérilité ? En quinze ans, elle n'a pas été capable de vous donner un héritier ! Elle a provoqué guerres et folies, aime le pouvoir comme d'autres la fête et n'entend que les poèmes : peut-on s'attacher à un être pareil ?... »

Bien sûr qu'on le peut. Louis et moi en sommes la preuve. L'ancien mari et le fils préféré : quel duo nous formons ! Chacun soclé autour d'Aliénor. D'elle, nous avons le plus intime. Louis l'a connue dans ses treize ans et moi, j'ai le lien sanguin. L'enfance et la maternité, ces deux grands secrets d'une femme, nous en sommes les témoins. Ce privilège nous transforme en remparts.

Quelques jours après le retour triomphal, une paysanne se présente à la cour de Poitiers, avec un paquet. Elle tremble. Elle demande une entrevue urgente. Dans la salle royale, la femme s'agenouille. Elle défait son paquet puis, la tête baissée et les bras raides, tend un tissu à ma mère. C'est sa cape. Le fermier est mort. « Il s'est bien battu, sanglote la paysanne, mais ça n'a pas suffi. »

Le 18 mai 1152, Aliénor épouse le Plantagenêt. Elle n'a que faire des rumeurs. Elle serait sorcière, putain, amante de son beau-père, et après ? Sa liberté éclate au visage du monde. Voilà seulement deux mois qu'elle est séparée de Louis. Elle ne lui a pas demandé l'autorisation, évidemment. On raconte qu'il s'est enfermé dans la chapelle du palais et qu'il passe ses journées à prier.

À Poitiers, les cloches des églises battent à la volée. Mes parents se tiennent sur le parvis étincelant de soleil. Ils viennent de joindre leurs mains sous le voile, de prononcer leur consentement. D'un geste, le Plantagenêt maintient Aliénor en arrière. Il avance. Duc d'Aquitaine par le mariage, il veut se présenter seul. Les habitants observent ce corps court et épais, cette barbe orange. Pour une fois, mon père ne porte pas d'armure mais une tunique de soie brodée, qui montre un lion d'or rugissant, griffes ouvertes. L'image paraît déplacée dans le grand silence. Mon père parcourt la place des yeux. Puis il incline la tête, sans savoir qu'un salut n'a jamais apprivoisé un Aquitain. Rien ne bouge. Aliénor, qui n'est pas femme à rester à l'arrière, fait un pas. Une apparition : le fard agrandit encore ses yeux et sa bouche est aussi rouge que sa robe. L'éclat de sa couronne se fond aux fils d'or qui torsadent ses cheveux. Alors une immense clameur retentit. La foule lève les bras comme un animal hérisse ses piques. Les bannières se déploient : un lion encore, mais rouge cette fois, à la queue torsadée, proche du dragon – le blason d'Aliénor. Les hommes brandissent leurs verres, les musiciens leurs instruments. De grandes poupées aux yeux gris, aux cheveux de paille, surgissent du flot des têtes tandis que des cascades de fleurs dégringolent des fenêtres. Ma mère pose une main sur son cœur et s'incline. Puis elle lance son bouquet de genêts.

Cette fois, le pays la compare à Gwennyfar, cette femme délivrée des ténèbres par un prince. Ma mère m'a souvent chanté cette légende lorsque j'étais petit. Elle-même l'avait entendue à la cour de son enfance. J'ai compris alors la signification de Gwennyfar, « blanche ombre ». Et j'ai compris aussi pourquoi elle l'aimait tant. Parce qu'elle savait que cela n'arriverait jamais. Elle savait que les princesses ne sont pas sauvées mais restent toute leur vie à la merci d'une décision. Ma mère ne demandait qu'une chose aux poètes, lui offrir un envers. Tous, ils ont loué sa beauté, son courage et son ambition. Elle savait que la première se flétrit, le deuxième se paye et la troisième, lorsqu'elle pourrit sur pied, se nomme sagesse. Combien de fois l'ai-je entendue, lors des veillées, inviter les troubadours, leur disant : « Chantez-moi ce qui n'existe pas » ? Car seule la littérature peut inverser le sort, le temps d'un poème.

Riche dame de riche roi
Sans mal, sans colère et sans tristesse

chantent les troubadours, en sachant justement qu'Aliénor n'est que colère et tristesse. Et ils ont célébré cette « plus que dame » précisément parce que mon père l'empêchait d'en être une.

Mais, en ce mois de mai, devant la cathédrale, elle est heureuse – ma mère, le cœur léger ! À quoi ressemblait son regard, comment résonnait sa voix ?

À ce moment, aime-t-elle mon père ? Pour la première fois de sa vie, elle ne se méfie pas. Elle fait confiance à ce nouveau mari, à son avenir qu'elle sait flamboyant – cela, elle l'a deviné dès leur rencontre. Il sera roi, elle en est sûre. Ainsi qu'un bon père. Et il respectera sa promesse de lui laisser la régence sur l'Aquitaine.

L'homme qui enlace sa taille, sur ce parvis, est donc stratège, infatigable, excellent combattant, cultivé, et, surtout, il tiendra parole. Aliénor n'en doute pas. Elle n'a pas senti l'autoritaire ni le voleur.

Dans le fond, parce qu'il est plus jeune qu'elle, Aliénor pense qu'elle mènera la danse. C'est sa grande erreur mais elle l'ignore encore. Elle ne sait pas que cet homme sera son égal, et que le drame se jouera là. Mon père est dans la même naïveté. Sur ce parvis se tiennent deux fauves et chacun est sûr de son ascendant sur l'autre. En réalité, parce qu'ils se ressemblent trop, parce qu'ils se valent, ils deviendront ennemis mortels.

Pour l'heure, debout face à la ville, ma mère sourit, de ce sourire que j'ai tant de mal à imaginer, réservé à mon père qui, pas un instant, n'en mesure le prix.

Ma mère perd ses illusions deux ans après son remariage.

Un soir d'hiver 1154, elle doit embarquer depuis le port de Barfleur, à la pointe du Cotentin. Dans ses bras, elle tient son enfant, né un peu plus d'un an après les noces. Il s'appelle Guillaume. Le fils qu'Aliénor n'a pas donné à Louis… Elle est à nouveau enceinte.

L'équipage scrute le ciel. Nuages bas, mer creuse, il faudrait reporter la traversée. Mon père s'y oppose. Depuis des semaines, il insulte le vent. Ce n'est pas une mer capricieuse qui l'arrêtera. Son destin l'appelle. L'Angleterre sort d'une guerre civile, elle veut son nouveau roi, martèle-t-il. Il sera le grand sauveur. Il doit expulser les pillards, raser les forteresses des seigneurs récalcitrants, récupérer les biens de la couronne et créer une nouvelle monnaie. Il promet puissance et justice, de «soustraire les biens des pauvres à la rapacité des grands», comme il l'a annoncé. Après quoi, il envahira l'Irlande, soumettra le pays de Galles et… l'Aquitaine. Il veut une terre unie, sous une seule et même loi, plus forte que le morcellement seigneurial. Et quand tout sera fini, quand son ombre aura recouvert jusqu'aux terres de ma mère, alors il inspectera son empire.

Le Plantagenêt marche à grands pas sur les quais. De loin, découpée du ciel sombre, sa tête virevoltante évoque une flamme. Soudain, il ordonne aux équipages d'embarquer. Qu'importe que la nuit tombe, que Guillaume soit petit et Aliénor enceinte de sept mois. Ses barons normands tentent de le dissuader. Il répond que ce 6 décembre est le jour de la Saint-Nicolas, patron des marins et des voyageurs.

Les éclairs fendent le ciel en milieu de traversée. En haut, la pluie tombe dru ; en bas, la mer devenue folle ; sur les côtés, les lames froides des bourrasques. La tempête a fermé son poing.

Le maître marinier ne peut plus conduire le bateau. Il le laisse à la dérive. Sur le pont, mon père tonne des phrases que plus personne n'écoute. Les marins implorent le ciel, les yeux mouillés de pluie. La mer joue avec le vaisseau comme une balle. Les vagues se dressent, s'abattent et balaient le pont telle une langue blanche surgie des tréfonds. On tombe, s'agrippe, on disparaît. Un marin hurle. Il se balance le long de la coque, son pied coincé dans un cordage, la tête en bas. Des lames d'eau frappent sa silhouette. Il agite les bras puis devient pantin mou, renversé, qui fait de grands allers-retours au bout de sa corde, et ce mouvement répond à la danse des tonneaux sur le pont qui roulent d'avant en arrière. Autour, dans la vapeur grise, on ne voit rien, mais tout est bruit. On jurerait que le vent ricane, le ciel rugit de joie. Le bois grince tant qu'il semble crier, la coque résonne des hennissements affolés des chevaux. La cale du bateau, inondée, recrache les outils des charpentiers. Il faut éviter l'avancée fulgurante des scies, invisibles dans les remous, ainsi que celle des clous. À la proue, les bannières tordues de vent rappellent la trace dérisoire d'un prestige. Soudain les nuages s'écartent et découvrent une lune pareille à un œil blanc et fixe. Chacun se tait, figé dans cette clarté sinistre. Puis les brumes se referment comme une bouche, l'obscurité tombe et la tempête reprend. Le bateau possède deux mâts. Celui d'arrière a cédé. Ses voiles déchirées battent comme des ailes. Celui du centre tient encore. La toile enfle, retenue aux vergues comme une silhouette cambrée. Quelques courageux tentent de la carguer. Leurs ombres grimpent lentement dans le gréement, puis une bourrasque, une rafale d'eau, et plus rien.

Ma mère est terrée dans l'angle de la cale, à l'arrière, sa compagnie accroupie autour d'elle. Elle a pris Guillaume des mains de la nourrice et le tient contre sa poitrine. Il hurle dans ses langes trempés. Au sol, une nappe liquide et noire avance et recule. Régulièrement le bateau s'élève, semble suspendu dans le vide, et, durant quelques interminables instants, les cœurs cessent de battre, jusqu'au choc terrible contre une eau devenue pierre. À chaque envol du navire, suivi de sa chute, Aliénor a peur de lâcher Guillaume. Elle a replié ses jambes contre son ventre, dérisoire protection. Des servantes ont été projetées contre les coffres. Elles roulent, les bras en l'air. Leur sang se mêle au vin des tonneaux éclatés. Ma mère entend la terreur des chevaux. Elle se dit qu'elle va perdre ses enfants. Pour la première fois, elle déteste mon père.

Lorsque Aliénor touche enfin le sol anglais, des mains se précipitent pour la tenir. Elle a froid. L'air est huileux d'une bruine tenace. Elle lève lentement les yeux vers le château de Douvres, construit sur la falaise. Il se tient face à la mer. L'enceinte compte quatorze tours. Au centre s'élève un donjon énorme et carré, lui-même flanqué de quatre tours plus minces. Plantés en son sommet, narguant le vent du Nord, les drapeaux du Plantagenêt claquent comme des mâchoires.

Sur les six bateaux, deux ont coulé. Dans des barques, des hommes font le tour du port. Ils poussent avec un bâton les cadavres d'hommes et de chevaux.

Les mains sur le ventre, Aliénor tient à peine debout. Dans la cohue, elle cherche le Plantagenêt. Il ne l'a pas attendue. Il galope vers Londres avec ses seigneurs normands.

Elle se met en route. L'espace clos du convoi royal l'abasourdit. Elle défait Guillaume de ses linges, le frictionne avec une couverture de laine. Son petit corps grelotte. La nourrice délace son corsage mais il tourne la tête en gémissant.

Aliénor respire lentement. Son ventre lui fait mal. Par l'ouverture, elle regarde passer des villages calcinés. L'Angleterre sort d'une guerre civile qui a laissé des traces. Les arbres sont couchés, leurs racines énormes arrachées du sol. Le paysage est médaillé de grandes flaques. Ici, nulle trace de la rondeur boisée qu'elle connaît. Pas d'animaux, sauf quelques moutons sales. La campagne est une lande coupée ras, aux abords déchirés de falaises. Ma mère pense à ses forêts du Poitou. C'est un coup de couteau soudain, une douleur aiguë, faite d'arrachement, de nostalgie intense et d'un sentiment d'injustice. Mais cette douleur ne la terrasse pas et lui apporte une certitude : elle tiendra bon. C'est élémentaire et colossal. Quoi qu'il se produise, elle ne fléchira pas. Et cette conviction est le préambule d'une immense colère. Personne ne se doute que cet habitacle lancé à pleine vitesse, à travers la campagne ravagée, empli des plaintes de Guillaume, est l'antichambre d'une force dévastatrice.

À l'arrivée, on lui annonce que le palais de Westminster est en travaux. Elle s'installera au prieuré de Bermondsey, sur la rive droite de la Tamise. Un ordre du Plantagenêt. C'est une bâtisse claire aux toits pointus, dont les bords sont ourlés de dentelles de pierre. Des visages d'anges, sculptés dans la façade, sourient aux visiteurs. Près du cloître, un atelier a été aménagé pour les orfèvres.

Aliénor aperçoit leurs dos penchés sur les sculptures d'ivoire, les statues aux yeux d'émeraude. Dans de petits baquets, des blocs d'or attendent d'être fondus. Ma mère aime les œuvres délicates et précieuses, mais, ce jour-là, elle s'en détourne. Elle ne ressent ni exaltation ni curiosité face aux orfèvres. Elle ne retient qu'une chose : ici, les terres sont humides et souvent inondées. Ce climat risque d'affaiblir encore Guillaume.

Elle est accueillie par l'archidiacre Thomas Becket. Il avance vers elle. Aliénor perçoit le froissement de sa chasuble, les broderies dorées de l'étole, d'où émergent un cou plissé, un menton sec, mais un regard bienveillant ; pour elle, le masque de la ruse. Elle se raidit. Elle comprend vite qu'il est chargé de la surveiller. Salut bas, voix grave, c'est donc lui, le bras droit du Plantagenêt. Il ignore que, dans quelques années, ce même Plantagenêt ordonnera sa mort… Pour l'instant, il est l'homme de confiance. Ma mère sait qu'il faut passer par ces hommes pour atteindre le roi. Aussitôt, elle se méfie de Thomas Becket.

Elle ignore où se trouve son mari, ce qu'il projette. Dans les jours qui suivent, de vagues rumeurs lui parviennent, qui parlent de combats incessants et de fêtes qui se terminent entre les cuisses des femmes. À propos de femmes, un nom revient souvent, Rosemonde Clifford. Fille d'un seigneur anglo-normand, elle serait d'une grande beauté. D'ailleurs, elle ressemble à ma mère – en plus douce, peut-être, car Rosemonde Clifford apparaît souriante et effacée. On murmure que mon père en est fou. Chaque fois qu'il le peut, il se présente avec elle. Aliénor est-elle jalouse ? Je la sais orgueilleuse. Elle ne s'abaisserait pas à rivaliser avec une autre. Elle est reine ; par conséquent, l'idée de se mettre au même niveau qu'une roturière ne lui effleure pas l'esprit. Pourtant, il me semble que cette nouvelle trahison de mon père servira de déclencheur à la révolte. Dans le convoi royal, après la tempête, elle avait eu la certitude qu'elle resterait debout ; maintenant, elle envisage plus grand. Car, à bien y regarder, c'est à partir du moment où Aliénor comprend que le Plantagenêt aime Rosemonde que germe, dans son esprit, la possibilité d'une guerre. Comme s'il avait franchi une limite – c'est ici où je comprends combien ma mère, sous des dehors abrupts, est pétrie d'idéaux. Que le Plantagenêt couche avec d'autres, elle n'en a cure. Elle-même ne s'interdit rien. Mais aimer, c'est autre chose. Elle croit profondément en l'honneur, la loyauté, la parole donnée. Ils valent plus que la vie. Je m'oblige à voir son exigence comme un mur épais qui protège ces hautes notions. Les grands rêveurs sont les êtres les plus durs que je connaisse.

Les rumeurs se mêlent au vacarme des travaux de Westminster. Thomas Becket a promis que tout serait fini en cinquante jours. Il informe aussi Aliénor qu'elle ne pourra pas revoir l'Aquitaine avant longtemps. Si elle souhaite regagner le continent, elle devra séjourner en Normandie, terre des Plantagenêt.

La nuit, dans sa chambre glacée, Aliénor ne dort pas. Immobile sous les plaids de fourrure, elle a sa main sur son ventre. Elle récapitule la débâcle. Son mari la tient surveillée, lui préfère une autre femme, l'a écartée du pouvoir. Surtout, il exercera sa tutelle sur l'Aquitaine. Il gouverne seul. Comme bon lui semble. Avec une autorité cassante. Ce n'était pas du tout prévu ainsi.

Elle reste longtemps devant la fenêtre. Londres est entourée de murailles. Une tour blanche surgit en aval du rempart, faite de pierres apportées de Caen. Le tapis de toits est hérissé de drapeaux. Ce sont les bannières du Plantagenêt, qui montrent le même lion d'or rugissant. L'air de la mer froisse le tissu, le tord. Aliénor se dit que le vent fait plier les fauves.

Elle observe le seul pont de bois qui franchit la Tamise. C'est une scène de théâtre. Jour et nuit, on passe, on se dispute, on vend – et sous ses arches, au ras du fleuve, comme des essaims grouillants, des maisons grimpent et c'est un miracle qu'elles ne s'effondrent pas. Aliénor regarde et se souvient d'une histoire entendue, celle de chevaliers qui doivent passer un pont sous l'eau. L'image lui plaît. En Aquitaine, on dit qu'un pont garde la mémoire des pas qui l'ont traversé.

Les domestiques préparent des infusions de persil et de menthe pour fortifier l'enfant dans son ventre. La traversée a suscité la crainte qu'il naisse avec une grimace de peur. Depuis des mois, ma mère fait attention. Elle ne mange ni salé ni amer, évite la vue d'une bougie soufflée, au risque de provoquer la mort, se prive des épices d'Orient qu'elle aime tant, car elles pourraient donner la lèpre au bébé. Et malgré ces précautions, cette tempête pourrait le lui prendre.

Elle ouvre lentement un coffre. Dedans, il y a un bouquet de lis flétris, une pierre des marais du Poitou dans un sac de soie. Les campagnes de son pays le promettent : la pierre protège la santé des tout petits enfants. Aliénor soulève le bord de son corsage pour glisser le sac dans l'ourlet, à côté de sa lame cachée.

Un jour, Thomas Becket lui apporte la charte inaugurale du Plantagenêt, nouveau roi d'Angleterre et duc d'Aquitaine par ma mère. Dans ce texte, il s'adresse indifféremment à ses fidèles anglais et français. Cela signifie que les Aquitains sont désormais des sujets de son empire. Ils seront matés, comme les autres, et lui devront obéissance.

Aliénor pose le message, ignore Thomas Becket et s'approche de la fenêtre. La ville ressemble à un marais. Ses effluves remontent. Au centre de Londres serpente un ruisseau sale, le Walbrook, bordé d'immondices. Mais des odeurs de miel, de cuir et de poisson surmontent celle de pourriture. Elles proviennent du grand marché de Westcheap. Du ruisseau à la cathédrale Saint-Paul, il étale ses couleurs et ses cris. Le marché débouche sur un bassin puis c'est la Tamise, striée de navires flamands et italiens, chargés de laine et d'étain de Cornouailles. Sur les quais, on débarque, décharge, transporte, soupèse. Les négociants s'invectivent dans toutes les langues. Les hommes sont aussi rustres qu'au port de La Rochelle. Les berges sont un chaos et le chaos apaise Aliénor. Elle oublie l'indifférence du Plantagenêt, la dépossession de ses terres, la respiration hachée de Guillaume. Des chantiers, des entrepôts, des appontements qui s'avancent sur la Tamise ; et, la nuit, des bagarres, des prostituées, des chants. Surplombant le désordre, ma mère sent monter la colère.

Un soir de février, elle se plie en deux. On accourt, on fait chauffer un bain de mauve, on installe un coussin. Ma mère s'assied. Elle touche l'ourlet de son corsage qui renferme la pierre des marais.

L'accouchement se déroule sans accident. Un second garçon naît. C'est Henri.

Où se trouve mon père à cet instant ? Son secrétaire a le tact de taire la présence de Rosemonde Clifford. Mais même lui se dit épuisé par les déplacements. Le Plantagenêt parcourt inlassablement l'Angleterre, la Normandie, l'Aquitaine. Il ne s'assied jamais et ses jambes sont couvertes de plaies dues aux ruades des chevaux. Il n'écoute personne. Partout où il passe, il confisque le pouvoir aux barons, met au pas les récalcitrants et lance la construction de nouvelles forteresses. Il veut saturer l'espace. On monte des enceintes hérissées d'imprenables tours de défense, restaure le palais de Gisors et celui de Rouen. Les ingénieurs militaires travaillent jour et nuit. Mon père décide aussi de creuser de larges fossés pour délimiter la frontière entre la Normandie et le royaume de France, entre la nouvelle vie d'Aliénor et l'ancienne. Louis, ébahi, est venu voir de ses propres yeux ces longs fossés bordant la Sarthe et l'Avre. Qu'importe que ces chantiers coûtent une fortune. Le Plantagenêt va, toujours vêtu de son manteau de chasseur et les mains nues, sauf quand il tient ses faucons. Il impose une loi commune, une justice royale rendue en langue française. Comme Aliénor, il est empli d'idéaux, qu'il pense justes, et il les met en œuvre. C'est sa force, son instinct. Le Plantagenêt vise large, loin et grand, mais ne voit pas ce qui se trame sous son nez. Il pense construire, mais il creuse sa tombe. On n'entreprend jamais une bataille sans avoir évalué les forces de ses alliés et de ses ennemis. Lui ne s'attarde pas. Tout près de lui, sa femme ne supporte pas d'avoir été trahie. Et les seigneurs sont furieux. Ils chuchotent des vengeances. Mon père ne peut pas tout maîtriser. Un jour il est à Oxford, le lendemain à Calais et le surlendemain dans le val de Loire, à la poursuite de son frère – puisque, dans cette famille, ils ne connaissent que la trahison.

Aliénor suit son parcours de loin. Des messagers d'Aquitaine lui rapportent que son royaume ne se laisse pas faire. Déjà, des révoltes ont éclaté. Les barons d'Angoulême se rebellent contre la nomination des hommes d'Église, mis en place par le nouveau pouvoir. En représailles, mon père s'est jeté sur le Poitou, a incendié et pillé les villages. Puis il a fêté sa victoire avec Rosemonde Clifford, lors d'un grand banquet.

Aliénor sait qu'elle doit rester patiente. Au fond d'elle, la colère enfle doucement. La désillusion est une sève. Bientôt naîtra une volonté si puissante qu'elle décidera du carnage.

Le palais de Westminster étant enfin habitable, ma mère met son énergie à l'aménager. Elle veut contrer la rudesse anglaise. Montrer que le savoir-vivre et la culture viennent de chez elle. Sa première initiative est de faire venir les poètes d'Aquitaine. Ils sont une vingtaine à débarquer un matin, sales et ravis, sur les berges de la Tamise, apportant avec eux un peu de son pays. Ils ont bu et chanté durant toute la traversée. Parmi eux, il y a des femmes. Ma mère m'a toujours dit que, à défaut de pouvoir régner comme elles l'entendent, les femmes pouvaient prendre le pouvoir par l'écriture – c'est pourquoi elle poussera ses filles vers la littérature et la poésie.

Ce petit monde titube sur le ponton. L'un des poètes s'affaisse et vomit. On le traîne sans interrompre les chansons, tout en récupérant un deuxième tombé à l'eau. Aliénor les attend sur le quai. Ses yeux brillent. Derrière elle, les badauds s'agglutinent, attirés par le bruit.

Les poètes auront des chambres, un couvert et de l'argent. Ils écriront à la gloire de ma mère et de la femme inaccessible – car ma mère mettra l'amour au centre des poèmes, et cet honneur à l'amour, bien sûr, ne pouvait venir que de quelqu'un qui le redoute. Personne ne nommera explicitement Aliénor, par prudence. Cette fois, elle sera appelée « Tort n'avez », « Étoile de mer » ou « l'Aiglesse », et chacun la reconnaîtra derrière ses surnoms. Les troubadours sont tous un peu amoureux d'elle. Certains passent la nuit avec elle. Le lendemain, ils chantent.

Dame, je suis vôtre et je serai
Donné à votre service.
Et vous êtes ma joie première
Et vous serez ma joie dernière
Tant que durera ma vie.

Ils inventeront des épreuves pour conquérir un regard, des vergers ceints d'un mur d'air, des épées plantées entre deux amants. Ma mère leur demandera de reprendre l'histoire d'un couple prénommé Tristan et Yseut, venue de Bretagne. Et puis, il y a un texte qu'Aliénor aime particulièrement, celui d'un guerrier nommé Arthur, appelé « le roi des rois ». Il y est question d'épée surnaturelle, de table ronde, et d'un magicien, Merlin. Alors lui vient une autre idée : s'emparer de l'histoire de cet Arthur... Et clamer que la royauté anglaise descend d'Arthur. Les poètes jubilent. Ils fabriquent une légende. Et ma mère auréole le pouvoir royal de magie.

Pour dissiper les soupçons, elle a donc l'intelligence de mettre les talents de ses poètes au service de son mari. Qui pourrait savoir la volonté qui monte en elle ? Maligne, elle honore de la même façon ses artistes et les partisans du Plantagenêt. À côté des récits sulfureux, on entendra des chants à la gloire de la lignée royale.

Un Aquitain a besoin de lumière. Dans la chambre des poètes, les chandelles de suif sont remplacées par des lampes à huile. Ils veulent aussi du goût. Ma mère fait venir des épices d'Inde. Le poivre, le cumin, la cannelle relèveront les viandes anglaises. Et puisque les vins anglais sont imbuvables (on dit que les piquettes du Kent et du Suffolk doivent être bues les dents serrées), des navires déchargent du vin d'Aunis et de Saintonge.

Aliénor achète aussi des nappes, des bassins de cuivre, de l'or pour la vaisselle et du lait d'amande, qu'elle utilise pour masser Henri. Comme Guillaume respire mal, elle fait entrer de l'encens et de la myrrhe qui couvriront les remugles du fleuve. Elle aménage un jardin médicinal. Elle craint qu'il n'arrive malheur à ses deux fils. Thomas Becket lui explique que la superstition ne protège de rien.

Mais, chaque jour, elle envoie couper de l'aristoloche qu'elle brûle sous le berceau. La plante éloigne les maladies des enfants. Ma mère m'a expliqué sa signification grecque, « excellent accouchement ». Elle aime les mots comme moi l'épée.

Les domestiques sont priés, chaque matin, de se frotter les dents puis d'avaler une pâte à base d'aloès pour purger la bile. Aliénor est lavée à l'eau de rose, parfumée, coiffée, après quoi elle s'occupe des affaires du royaume. Elle signe les ordres de paiement, organise les comptes du palais, surveille les redevances dues à la couronne. Autour d'elle, un groupe d'hommes la surveille, mené par Thomas Becket.

Ce dernier s'occupe de l'éducation d'Henri. Avec lui, il se montre d'une grande patience. L'enfant lui obéit, le réclame. Il le voit comme un père. En revanche, pour ce qui est des affaires politiques, Becket lutte contre Aliénor. Il déteste qu'une reine empiète sur son domaine de chancelier. Aliénor le sait. Elle lui dicte très rapidement, et d'un ton sec, les chartes de justice. Becket écrit, les sourcils froncés, parfois il soupire bruyamment. Elle veille aussi à contredire ses décisions. Un jour, un abbé se plaint d'un seigneur qui a abattu ses arbres du comté de Herford. Thomas Becket prend parti pour le seigneur. Aliénor l'ignore et donne raison à l'abbé. Le document de justice est délivré « par acte du roi d'au-delà de la mer ». Cette phrase-là, Aliénor ne la lit pas.

Mon père revient brièvement. À Wallingford, il rassemble ses barons pour qu'ils jurent fidélité à ses fils. Guillaume étant de santé fragile, il a pris la précaution de lui associer Henri, âgé de six semaines. Aliénor est présente. Avec mon père, elle se montre glaciale. Comme d'habitude, il n'y voit pas un signe. Il passe à autre chose, raille un baron qui a saccagé un champ de tourbe en galopant trop vite. L'assemblée rit, lève son verre. Sauf Aliénor. Les barons la dévorent des yeux. Pour bien la connaître, je pense qu'elle savoure, mais aussi qu'il s'agit pour elle d'un principe. Elle tient son rang. Dans sa tête, elle est d'abord duchesse d'Aquitaine et on n'a encore jamais vu un membre de sa lignée négliger ses apparitions. De façon générale, chaque fois qu'elle doit se montrer, à Noël, à Pâques, lors de la cour de l'Échiquier, elle est magnifique. Des fleurs ornent ses cheveux. Ses capes sont doublées d'une fourrure brillante, légèrement bleutée. On ne regarde qu'elle, et sa froideur renforce les appétits. Mon père n'y résiste pas. Chacun sait qu'il aime Rosemonde Clifford. Pourtant il semble se souvenir de la reine car, après chacun de ses départs, Aliénor se découvre enceinte.

Son ventre est rond d'un troisième enfant, justement, lorsque la nourrice, alarmée, vient la chercher un matin de juin 1156. Guillaume respire mal. Il ne s'est pas levé. Ma mère sent au fond d'elle quelque chose d'indéfinissable, une terreur qui s'ébroue. Elle n'en laisse rien paraître, envoie chercher au jardin de l'aristoloche qu'elle glisse sous le lit de l'enfant, ainsi que de la coriandre, une racine de jusquiame, de l'armoise. Une suivante se trompe et rapporte des graines de cumin, préconisées pour soigner les yeux. En voyant ma mère jeter les graines à la figure de la suivante, sans un mot, on comprend que l'heure est assez grave pour alerter le roi.

Thomas Becket éloigne Henri. Mais lui, du haut de ses seize mois, est très agité. Il s'affole et s'énerve, comme s'il réclamait justice.

La journée s'avance et Guillaume n'est que paupières closes, poitrine soulevée à chaque souffle, pâleur translucide – un corps de trois ans qui repousse la mort. Sa respiration émet un sifflement. Dans la tête d'Aliénor, ce bruit a le fracas du tonnerre.

En cuisine, les moines chauffent, tamisent, broient de l'ambre, préparent des sachets, des boissons, des compresses. Les servantes s'activent dans un va-et-vient silencieux entre les fours et la chambre.

Accroupie près du lit, Aliénor ne lâche pas son garçon des yeux. Son ventre rond signe l'ironie du sort. Un enfant va naître tandis qu'un autre meurt. Elle s'approche de son oreille. De ses lèvres s'échappe la chanson choisie à la naissance de Guillaume. Aliénor a un but, un seul : couvrir de sa voix l'approche de la mort, pour que son fils n'ait pas peur. Elle chante, son dernier acte d'amour. Les heures passent et le sifflement devient rauque. Maintenant le petit corps se cambre. Ma mère se penche et souffle dans sa bouche, espérant lui donner un peu d'air. Puis, toujours en fredonnant la chanson, s'allonge presque contre Guillaume. De temps à autre, elle lâche sa main pour tâter sa pierre du Poitou, cousue près du cœur.

Au soir, l'ourlet est défait. La pierre accompagnera son premier fils dans la tombe.

Dessus, elle fait graver un ordre en forme de promesse : «Relève ce qui est détruit, conserve ce qui est debout.»

Ma mère entre en pays inconnu. Le vent y est gelé. Personne n'y habite. Derrière les murs hauts, elle entend des rires et des phrases, ceux des préservés. Elle aura beau s'écorcher les mains à trouver un passage, tenir et fabriquer encore des enfants, ça ne change rien. Une frontière sépare sa vie des autres vies. Elle avance parmi les mères amputées d'un petit, ombres dansantes qui psalmodient des berceuses. Désormais ma mère connaît l'envers du monde.

Henri devient l'aîné.
Mathilde naît quelques jours plus tard.
Moi, j'arriverai un an après.
Je grandirai avec le fantôme de mon frère disparu, sans jamais savoir si ma mère m'a préféré pour

ma ressemblance avec lui. Elle n'en parlera pas mais je la verrai, chaque mois de juin, porter une robe dont l'ourlet du corsage est décousu. Et lorsque je serai sacré duc d'Aquitaine, et que, à genoux dans la cathédrale, je devrai prononcer le serment : « Relève ce qui est détruit, conserve ce qui est debout », je reconnaîtrai ces mots. Ils sont à Guillaume.

De son côté, Louis a eu trois enfants, de deux autres mariages. Mais il s'est arrangé pour être toujours au seuil de l'existence d'Aliénor. Ce seuil, c'est nous. Depuis nos dix ans, ma mère nous envoie chez son premier mari. On me dira que c'est un peu étrange... Mais Louis nous estime et nous voit. Il n'essaie pas d'imposer sa tyrannie. Le plus important : il délègue son pouvoir. Son dernier-né, Philippe, n'aura pas les mêmes tourments que nous. C'est le petit frère que j'aurais aimé avoir. Nous avons huit ans d'écart. C'est un enfant heureux, rieur et obstiné, choyé par ses deux sœurs, Marguerite et Aélis. Son père est fier de lui, ses sœurs l'entourent : comme je l'envie ! Philippe n'aura pas à renverser son père. Il ne recouvrira jamais son visage de boue.

Louis le sait bien. Il agit pour notre cause, au point d'encourager discrètement la révolte des Aquitains contre mon père. Il savoure la guerre qui se prépare contre lui. De toute façon, entre ces deux rois, ce fut toujours à couteaux tirés. Ils ont conclu parfois des accords qui ne trompaient personne et se sont révélés inefficaces. Ainsi, ils ont marié leurs enfants. Henri a épousé Marguerite, la fille aînée de Louis, dans l'espoir d'une réconciliation entre les royaumes de France et d'Angleterre. Moi, je suis promis à Aélis, la seconde fille de Louis.

Le résultat est le même. Louis et le Plantagenêt se détestent. Nous, les fils, avons choisi le premier. Nous avons tant besoin d'égards. Un jour, excédé de nous savoir sans cesse à la cour de France, notre père a envoyé ses hommes pour nous ramener en Angleterre. Ils se sont présentés au palais, à Paris, dans cette grande salle du Conseil que ma mère connaît bien. Ils ont exposé leur requête. Henri, Geoffroy et moi devions rentrer au plus vite. Louis a demandé avec onctuosité :

«Qui me fait cette demande ?

— Le roi d'Angleterre, ont répondu les messagers, interloqués. Il demande ses fils.

— Le roi d'Angleterre ? Allons, c'est impossible, puisqu'il est ici, avec ses frères. Henri a été couronné, il me semble. Alors, de quel roi me parlez-vous ? »

Les hommes sont repartis avec cette déclaration de guerre. D'une voix malicieuse, Louis nous a demandé : «Et maintenant, voulez-vous voir le sceau royal d'Henri ? » Dans sa main, il tenait un tissu de velours. Il en a déplié les pans comme on

ouvre une fleur. Dedans, il y avait un cercle à l'effi-
gie d'Henri, coulé d'or lourd.

Ce jour-là, nous, les princes de naissance anglaise,
avons juré fidélité au roi de France. Et j'ai demandé
à Louis de m'armer chevalier.

Le soir même, il organisait un immense banquet
autour de nous. La peau des femmes brillait à la
lumière des chandelles. Mercadier hurlait si fort des
obscénités que j'ai dû le rappeler à l'ordre. Le sol
était jonché de menthe. « Le parfum de votre mère,
a glissé Louis. Il y en avait partout lorsque je l'ai
rencontrée. » Nous avons souri poliment, un peu
étonnés. Ma mère n'aime que les lis. Quand je le lui
ai fait remarquer, Louis a eu un sourire si peiné que
je m'en suis mordu les lèvres.

Heureusement le cor a sonné. Henri, Geoffroy
et moi avons lavé nos mains puis avons pris place.
Nous trônions parmi les convives et les rires. Nous
étions assis à côté des enfants de Louis. Marguerite,
l'aînée, tentait de contenir Philippe qui se trémous-
sait sur les accords de flûte. Leur sœur Aélis pouf-
fait de rire. Ces princesses étaient jolies et j'ai pensé
qu'Henri serait heureux avec Marguerite. Aélis, elle,
paraissait plus timide. Elle couvait le petit Philippe
des yeux et le ramenait sur le banc quand il perdait
l'équilibre.

Je me souviens de la salle voûtée, de ce vin un
peu fade, typique de la campagne parisienne ; des
mains qu'on essuyait sur la nappe en laissant des
traces brunes ; des visages humides des jongleurs.

Mercadier ne savait même plus s'il mordait dans une viande ou dans le bras d'une servante. La tablée hurlait de rire. Les volailles étaient jaunes, gorgées de ce safran que nous connaissions, rapporté de croisade. Louis, le ventre crispé par les jeûnes imposés par l'Église, mangeait du bout des lèvres. Mais il irradiait de confiance et cela suffisait.

À la fin du repas, il a demandé silence. Il s'est levé. Il a juré sur l'Évangile qu'il nous soutiendrait contre notre père. Alors les bancs ont raclé. Les comtes de Flandre, de Champagne, de Blois, de Dreux se sont levés à leur tour. Ils ont posé leurs mains sur l'Évangile, eux aussi, et ils ont prononcé le même serment.

Ce soir-là, nous avons existé. Nous, les trois fils bannis, rejetés, nous étions portés par des voix. Qu'importe qu'elles viennent d'un royaume ennemi du nôtre ! On jurait pour nous. Ces promesses avaient un goût de renaissance.

Mercadier et moi avons fêté cette reconnaissance, à notre façon. Nous sommes faits du même bois. Henri a plissé les lèvres en signe de réprobation. Louis n'a rien vu, il discutait avec un prêtre. J'ai dû gentiment éloigner Philippe qui se tenait dans nos pattes. La nuit était pour nous. Les ruelles parisiennes exhalaient une odeur de moisissure que je tiens toujours pour un parfum suave. Les chandelles brillaient derrière les toiles qui occultaient les fenêtres. La terre boueuse absorbait nos pas. Mercadier a fait un pas de danse grotesque, qui cadrait mal avec sa carrure, pour éviter une cascade d'épluchures tombée d'un étage. Les yeux humides de rire, je l'ai poussé chez un barbier. Il avait fermé boutique mais, en voyant mon colosse, il s'est décidé à lui tailler la barbe. Des fonds obscurs de la ville nous parvenaient les effluves des teinturiers, les meuglements des bestiaux, les rumeurs d'une taverne. Nous y avons vidé les réserves de vin tandis qu'un poète chancelant, debout sur une table, braillait des comptines, et qu'un arracheur de dents, fasciné par la mâchoire de Mercadier, tentait de lui faire ouvrir la bouche – Mercadier lui paya suffisamment à boire pour le faire taire, le saisit sous les bras et l'accrocha à une patère. En sortant, nous reprenions à tue-tête les comptines du poète. Puis nous avons débouché sur une place grouillante de monde. Une farandole, des fontaines, des cochons sur la broche, et des filles heureuses : la vie, enfin, orgueilleuse et bruyante, si différente de l'Angleterre. Sans escorte ni apparat, personne ne me reconnaissait. D'un mouvement de menton, Mercadier m'a indiqué un endroit sur la place où de jolies filles se faisaient resservir du vin. Mais, à l'instant où il pivotait vers elle, un groupe d'hommes le dépassa. Avant que j'aie pu faire un geste pour le retenir, l'énorme poigne de Mercadier s'abattit sur l'épaule de deux indélicats. La bataille fit rage. C'était une bagarre exquise, de poings et de cruches lancés à pleine volée, bercée des gloussements apeurés des femmes. Mercadier se saisit d'un banc, le plaqua sur son ventre et tourna sur lui-même. Passé deux tours, il tenait une brochette de corps pliés sur le banc, remuants comme des lièvres. «On s'incline devant le protégé du roi de France! » braillait-il, hilare, ses petits yeux brillants de joie. Et, en effet, me revenait le serment de Louis envers nous, enfants d'Angleterre, royaux et ignorés.

Au petit matin, nous avons retraversé les ruelles. Nous titubions un peu. Mercadier se tenait la tempe, qu'un gobelet avait touchée durant la bagarre. Mon pied a heurté une toupie abandonnée près d'un lavoir. Nous devions rentrer à Poitiers. Ma mère nous attendait.

Elle était assise face à un bourdonnement de corps obséquieux. D'un geste, nous nous sommes retrouvés seuls. J'ai tout raconté, les messagers d'Angleterre, la réponse de Louis, le banquet et les serments. Elle écoutait avec attention. À la voir assise, impériale, les épaules minces sous la tunique, le châtain de ses tresses ramenées en chignon, avec cette allure que les femmes de la noblesse s'évertuaient à copier, je me suis demandé si mon père l'avait vue ainsi la première fois. Elle n'avait pas ces rides au coin des yeux, et son visage devait être moins pâle. Mais ce grand front, les yeux en ciel d'orage et la nuque droite, bien sûr qu'il l'avait vue ainsi. Et il s'était comporté en aveugle.

Maintenant, j'essaie de me remémorer l'instant

où tout a basculé. L'instant précis où la guerre contre mon père nous est apparue inévitable. Et voici cette fracture, qui semble dater de temps immémoriaux, car le trouble est inscrit aussi profondément que le gel d'hiver. Mais, pour nous, c'est arrivé il y a quelques mois, et je dois raconter.

Depuis plusieurs mois, mon père se croit hors de danger. Il est persuadé d'avoir apaisé trois adversaires. Il a desserré provisoirement la bride sur l'Aquitaine ; il a couronné Henri, de quoi le calmer pendant quelque temps, pense-t-il ; il a obtenu le pardon de l'Église après avoir fait assassiner Thomas Becket car celui-ci défendait les droits de l'Église contre ceux du roi. On l'a retrouvé dans la cathédrale, le crâne ouvert sur les dalles. Mon père a mis trois ans pour laver ce crime. Seul Henri, qui adorait Becket, n'a rien pardonné du tout.

Sa femme, ses fils, l'Église : mon père est sûr de les avoir endormis. Sa vigilance baisse. Il consacre son temps à l'avenir de Jean. Mon dernier frère n'a pas sept ans. Il ne sait même pas tenir une arme. Mais que peut-on attendre d'un enfant qui a pissé droit lors de son baptême ? Le prêtre avait fait semblant de ne rien voir. Sur son front, il versait l'eau baptismale tandis que Jean l'évacuait par le bas.

Il arrive de l'abbaye de Fontevraud. C'est un lieu que ma mère et moi aimons éperdument, un lieu blanc et tranquille posé dans la campagne de Saumur. Depuis toujours, Aliénor en prend soin. Elle a prévu une rente pour l'achat des robes des religieuses, offert une croix de procession en or, des ornements liturgiques en soie, lancé la construction de murs autour de l'abbaye. Jean n'avait pas sa place dans cette cité de silence, repliée sur un magnifique jardin. Il y a de longs couloirs en arcades, au sol de damier noir et blanc, de hautes fenêtres qui donnent sur les vignes plantées en terrasses. Le toit des cuisines domine l'ensemble, un toit hérissé de piques pierreuses et de cheminées sous cloches, d'où s'échappe l'odeur des poissons fumés. Enfant, je me souviens du silence et de la pâleur de la pierre. L'air semblait immobile, sans un bruit. Aujourd'hui encore, je pense naïvement Fontevraud capable d'arrêter le vent et le tumulte. Jean, qui n'est que souffle rageur et caprice, n'avait rien à faire là-bas.

Mon père l'a donc ramené en Angleterre. Il lui parle en français, lui offre des marionnettes et des traités d'astronomie, lui montre le fonctionnement de l'Échiquier, un système de comptabilité dont il est fier. En un mot, le Plantagenêt se comporte comme un père.

Maintenant, il organise le mariage de Jean. Justement, le comte de Maurienne donnerait sa fille, héritière du Piémontais. Bien sûr, offrir sa fille a un prix. Mon père est prêt à le payer… Avec cette union, il mettrait un pied en Italie. Son empire n'a pas encore dévoré cette partie du monde. Nous, ses enfants, n'avons jamais été que des pions au service d'une stratégie gloutonne. Pour ma part, mon père s'est trompé. Lorsqu'il m'a fiancé à Aélis, la fille de Louis, il était sûr que ce choix lui éviterait une guerre.

L'entrevue avec le comte de Maurienne est fixée en Auvergne, au mois de février. Toute la famille est conviée.

Geoffroy et Henri nous rejoignent à Poitiers. Ma mère et moi revenons de Limoges où nous avons prélevé les impôts, posé ensemble la première pierre d'un monastère et inspecté les fiefs. Ce séjour nous a permis de mesurer la haine des seigneurs envers le Plantagenêt. (Il y a quelque temps, ils avaient fait braire un âne sur les remparts en criant aux Anglais de venir secourir leur roi. En réaction, mon père avait ravagé leurs domaines.)

Personne n'a envie de ce voyage pour Jean. Nous partons vers l'Auvergne en soupirant.

C'est ici que tout dérape. Au pied des enceintes de Montferrand, la prairie est couverte de tentes et de bannières. On a débarrassé les chevaux de leurs ornements. Ils se reposent et soufflent de petits nuages. Les gonfanons claquent doucement dans l'air froid. Toute la journée, les boutiquiers vont et viennent entre la ville et le camp. On apporte des volailles, des fruits, des tentures, du chaume pour le lit des soldats, près des chariots. On négocie. Parfois on se bat. Mercadier emmène des escadrons en forêt pour chasser les loups.

Au centre de la prairie, sous un dais de drap d'or, le comte de Maurienne et mon père font face à leurs cours. Ils devront annoncer leurs conditions au mariage – combien vaut la fille du comte de Maurienne serait plus juste. Ces messieurs trônent sur des fauteuils de bois sculpté. Leurs épées sont plantées dans la terre. Ma mère se tient debout derrière eux. Son manteau d'hermine descend jusqu'aux pieds. Elle a rabattu sa capuche. Quelques flocons de neige voltigent et s'accrochent à la fourrure comme de minuscules perles. Henri, Geoffroy et moi lui faisons face, gantés de cuir et cagoulés de fer. Nous sommes là, au premier rang, à attendre les décisions de mon père concernant un cadet que nous n'aimons pas.

Le Plantagenêt entame son discours. C'est interminable. Enfin, il annonce le prix du mariage. Pour que Jean épouse la fille de Maurienne, il versera cinq mille marcs d'argent. Le comte manifeste son accord. C'en est fini, nous pouvons rentrer. Mais, à la surprise générale, mon père parle d'une autre promesse. Sur notre héritage, il prendra le royaume d'Irlande, plusieurs châteaux anglais, ainsi que les fiefs de Chinon, Loudun et Mirebeau, pour les donner à Jean.

Un grand silence.

Cette humiliation est celle de trop. Il ne suffit pas d'être soumis. Il faut encore que mon père nous dépouille, nous, les trois fils aînés, au profit de Jean.

Henri, blême, avance d'un pas. Intuitivement, je porte la main à mon épée. Mercadier et Geoffroy m'imitent. Ce qui m'arrête, à cet instant, c'est

68

ma mère en face. Elle a ses yeux d'armure. Ils débordent d'une fureur calme qui attend son heure. Voici la colère d'Aliénor où se noient nos misères. Nous la connaissons. Nous avons confiance. Henri se ravise le premier. Mes rubans d'ombre disparaissent, repoussés d'un regard gris. Mais, sous nos pieds, la brèche s'est ouverte aux vents maudits. Il est trop tard. Nous sommes abasourdis et, dans ce vacarme, mon père continue tranquillement à dérouler la liste de son marchandage.

Deux mois plus tard, il organise une assemblée luxueuse à Angers, sa ville préférée avec Le Mans. La terre de ses ancêtres, répète-t-il, comme si la lignée s'arrêtait à lui. Devant un parterre de grands seigneurs, il annonce qu'il annexera à son empire le Languedoc, qui appartenait à notre arrière-grand-mère maternelle. Il le fait de façon perverse puisqu'il nous y associe, Henri et moi. Les troupes ont déjà commencé à assujettir le peuple languedocien. Cette fois, Toulouse et Narbonne grondent. Tout le pays sait que les Poitevins résistent depuis des années à la mainmise du Plantagenêt. Le Sud leur emboîte le pas. La vicomtesse de Narbonne alerte le roi de France, sans savoir que Louis attend la réaction d'Aliénor.

La voici. Elle entre dans la salle de Poitiers et nous ordonne de renverser mon père.

La révolte

Aliénor évalue les forces. Beaucoup d'Anglais, excédés, prendront les armes contre le Plantagenêt. Mais une chose me chiffonne. Certes, ma mère a réussi à fédérer les grands barons, mais ils demandent des contreparties. Ils veulent des comtés, des domaines, des châteaux, sinon ils ne nous aideront pas. Même le roi d'Écosse, qui pourtant hait le Plantagenêt, réclame la Northumbrie, dans le nord de l'Angleterre. Je sens que ma mère va accepter. Je sais bien que je devrais avoir confiance, que son intelligence stratégique l'a maintenue aux plus hautes sphères du pouvoir. Il n'empêche. Ces ralliements coûtent assez cher pour m'inquiéter.

Aliénor ne m'entend pas. Je la regarde aller et venir. Me saute aux yeux une différence majeure : la colère maintient ma mère, alors que celle de mon père le rabaisse. Lui, c'est une rage grotesque, éructante, qui nous fait honte. On le croirait assis dans un chaudron. Sa peau rougit, ses yeux verts s'injectent de sang. Les moines ont tout essayé. Ils ont interdit le poivre et l'oignon dans les cuisines, prescrit le suc de laitue, des infusions de renoncule et de réglisse. Rien n'y fait. Mon père se transforme en elfe vociférant. Un jour, Mercadier a dû le sangler pour l'éloigner d'un page dont il voulait arracher les joues. Et combien de fois nous l'avons vu rouler en hurlant, prêt à manger le foin sur le sol ! Nos vassaux rient de nous. Mais il me faut être honnête : quand je le vois ainsi, je ressens d'étranges caresses froides sur ma nuque, des fumées noires nourries aux excès du monde, qui enflent au triste spectacle qu'offre mon père, absorbant chacun de ses couinements qu'en cet instant je rejette et je hais, parce que j'y reconnais les miens, parce que, cette furie, je la porte aussi en moi.

La colère de ma mère est d'une autre nature. Les trahisons l'ont grandie. D'élan, elle est devenue force. Elle a planté ses crocs si profond dans sa mémoire qu'elle est devenue caillou. La colère n'irrigue plus le corps, elle se concentre sur le cœur et sa fonction première : cogner pour respirer. Comme je voudrais avoir la même ! Elle fabrique des vengeances en forme d'honneur. Pour Aliénor, la haine est une colère qui vieillit bien.

Et pourtant. À la voir ainsi, fureur splendide qui marche et écrase, me vient une grande tendresse. J'entends une très ancienne douleur. Les poètes disent que l'amour pour une personne s'adresse à ce qu'il y a de plus seul en elle. Je les crois parce que, en cet instant, je ne vois que ça, un être absolument seul depuis toujours, capable d'avancer sans soutien et résigné à ne plus en attendre. Alors, il faudrait s'agenouiller, approcher son visage du mien ; et, avec toute la douceur dont un guerrier dispose, l'interroger. Ma mère, quel est ce chagrin qui ne vous laisse pas en paix ? À quoi ressemblent-ils, ces espoirs qui ne resteront qu'eux-mêmes ? On ne peut pas refaire le passé. Mais la vie offre quand même des instants de repos, où une présence amie ôte votre cape et vous désigne une chaise ; des instants sans enjeu ni menace. Pourquoi les redouter ? Elle me répondrait à sa manière. Aliénor parle un langage que chacun honore et que personne ne comprend. Elle serre les poings, même aux veillées. Mais un poing ? C'est aussi une main qui garde.

Je lui tends un message de Louis. Il me l'a confié à moi car, dit-il, un si bon combattant ne peut pas se faire capturer en route. Aliénor l'ouvre et le lit à voix haute. Il est bref. Louis l'informe qu'il prendra part à la révolte. Je dissimule un sourire. Ainsi donc, voilà le premier mari de ma mère prêt à renverser le second… Louis a le tact de ne faire aucune allusion à leurs années communes. Pourtant il tient là sa vengeance, écraser l'homme qui lui a volé sa femme. J'admire une fois de plus sa retenue, si étrangère à mon père. Quels mots choisir face à tant d'élégance ? Comment répondre ? Ma mère se saisit d'une plume. « Par des consignes, dit-elle. Il lèvera l'armée royale et occupera la Normandie. »

Deux semaines plus tard, elle souhaite que nous dînions en petit comité, Henri, Geoffroy et moi, avec elle. L'instant n'est pas détendu – ma famille ne connaît pas l'insouciance. Je regarde mes frères. Henri repousse avec brusquerie une mèche rousse qui lui tombe dans les yeux. Il paraît si vieux, avec ce chagrin inscrit sur son front, ses rides d'amertume, et cette brutalité qui est la marque des grands déçus. Geoffroy se tient droit, et pourtant tout en lui respire la paresse, la servilité, l'autorité sans envergure. Il suffit qu'Henri complimente la volaille truffée pour qu'il acquiesce. Il se battra bien, j'en suis sûr, mais il ne le fera ni par loyauté ni par esprit de vengeance. Geoffroy marche dans les pas d'Henri, quoi que ce dernier fasse. Il lui obéit en tout. Je le soupçonne d'espérer ses faveurs lorsque Henri régnera vraiment. Comment aurait été Guillaume ? Je me dis que, entre un disparu, un amer et un courtisan, je suis peut-être le seul fils qui réponde aux attentes de ma mère. Et je ne sais pas si cette préférence est un privilège ou une malédiction.

Aliénor pose sa coupe et prend la parole. « Nous déploierons nos forces sur toute la façade française, des Pyrénées à la Manche. Votre père sera cerné par une armée deux fois plus grande que la sienne. Bien sûr, il a des soutiens – des lâches, des courtisans, des ambitieux qui prendront sa défense –, mais il n'a aucune chance d'en réchapper. Geoffroy armera ses troupes en Bretagne; Henri se postera face à l'Angleterre, puisqu'il en est déjà le roi, en théorie; Richard domptera et rassemblera tous les seigneurs d'Aquitaine. Nos alliés sont nombreux. Le roi d'Écosse, les comtes d'Angleterre, l'armée flamande, mes barons d'Aquitaine, ceux de Bretagne. Et, bien sûr, Louis. »

L'ironie arrache un cri de surprise à Geoffroy. Personne ne relève cette maladresse, mais mon regard croise celui d'Henri. Nous connaissons Aliénor. Elle veut l'appui du roi de France, qu'elle ait partagé sa couche ou non. Elle est pragmatique. Elle m'a élevé en disant: « N'aime jamais. Admire, dévore, enchante, mais n'aime jamais, ou tu seras dépouillé. » Là aussi, j'obéis. Cela fait des années que je dois épouser Aélis. Elle attend et je ne viendrai pas.

L'assaut est lancé au printemps 1173.

Henri, Geoffroy et moi, ainsi que Louis VII, les barons d'Angleterre, d'Aquitaine et de Bretagne, nous soulevons en même temps contre le Plantagenêt. Vingt ans de rancœur se libèrent de part et d'autre des rives de la Manche. En Angleterre, les barons spoliés laissent éclater leur fureur. Leurs soldats attaquent, pillent et incendient les terres annexées par mon père. Ils punissent ceux qui lui sont dévoués. C'est une vague de sang et de feu. Au bord des routes, les arbres sont chargés de pendus.

Depuis le palais de Poitiers, Aliénor orchestre la guerre.

En France, le 29 juin, voici les forces en présence : une première armée est commandée par Henri. Il vise la Normandie, fief du Plantagenêt. Il attaquera d'abord la forteresse d'Aumale, à la frontière picarde et normande. La place est d'un accès difficile. Située en hauteur, elle est protégée, à l'est, par des marécages et des bras de rivière. Un canal coule sous ses larges portes. Ma mère a eu l'idée de détruire les barrages pour que les eaux du canal inondent la ville.

Au sud, les soldats de Louis verrouillent le Perche. Ils ciblent Verneuil, masse énorme de pierre et de douves, qui abrite trois petits bourgs. Au pied des murailles, Louis plante un drapeau avec des fleurs de lis, en hommage à ma mère. On arrête les chars aux roues ferrées, couvertes de terre. On lève les bâches de cuir pour monter les machines de siège.

À l'ouest, Geoffroy attaquera le château de Dol, en Bretagne.

Moi, je m'occupe du sud. Je suis à la tête des seigneurs poitevins et aquitains. Ils portent fièrement leurs armoiries. C'est un festival de couleurs et de formes que ma mère m'a appris à déchiffrer. Ici, un motif à chevron, là une bordure componée ; des croix, des oiseaux, un ours ; des motifs d'hermine, de vair ondé, de trèfle. Je les connais tous. Parmi eux se trouve Geoffroy de Rançon, chez qui ma mère a toujours trouvé refuge. Lui, comme tous les seigneurs autour de moi, a un lien avec mon histoire. Je commande une armée de témoins. Certains parlent d'Aliénor avec un sourire gourmand. Je ne relève même pas. Je suis concentré sur les milliers de mercenaires que j'ai engagés. Ceux-là, je les ai payés une fortune. Pas un seul n'est noble. Ce sont des combattants errants, ignorant l'art de la guerre. Certains sont équipés d'armes étranges, détournées d'outils agricoles. Je reconnais un soc de charrue planté au bout d'une lance, un épieu, une serpe améliorée. Je n'ai aucune confiance en eux. À la première occasion, ils tueront pour le plaisir et je sais que, en cas de défaite, ils se vendront aussitôt au camp vainqueur.

Nous marcherons vers Le Mans, berceau de ma famille paternelle. Nous contournerons l'abbaye de Fontevraud que certains voudraient piller – j'entends les mercenaires comparer cette abbaye à une orgie car elle est mixte, hommes et femmes y vivent ensemble, « de quoi se régaler lors des messes », ricanent les hommes. Mercadier essaie discrètement de les faire taire. Trop tard. Je remonte les rangs. Le plaisantin est facile à repérer. Il transpire. Je prends le temps de l'observer, puis de sortir mon épée. Elle glisse lentement le long de sa tempe ruisselante. D'un coup d'un seul, elle coupe son oreille. Le mercenaire hurle et se plie sur son cheval. Je tourne bride en veillant à ce que les sabots marchent sur l'organe sanglant. Je reprends ma place devant les troupes. Piller Fontevraud ! Ces guerriers ignorent donc que ma mère veut y être enterrée ? Il est hors de question d'y toucher.

Je lance le départ. Mille chevaux s'ébranlent derrière moi. Ce grondement est une sève, rage et joie mêlées. Mercadier exulte. Un chant rauque monte en puissance.

J'aime quand les coureurs
Font fuir gens et troupeaux
Et j'aime quand je vois après eux
Venir les gens d'armes…

Mon épée cogne ma cuisse à chaque foulée, battement d'acier qui rythme ma vie, au son d'un air gaillard repris par des ogres.

Voici les pierres blanches du premier château à attaquer. Les cloches s'affolent. Les cris résonnent, que je connais si bien : « À l'arme ! » Puis les cors rassemblent les habitants. La cavalcade, le grincement des gonds, le cliquetis des lames, le fracas des murs enfoncés… La guerre est d'abord une affaire de bruit. Demandez aux rescapés qui, des années plus tard, sursautent au son du tonnerre. Et chacun essaie de se souvenir d'une innocence de l'ouïe, d'un temps où l'oreille était assez pure pour n'entendre qu'un simple orage.

J'arrête la marche. On établit le campement, monte les catapultes et les tours d'assaut. C'est l'heure des sapeurs. Ils se faufilent au pied des murs. Ils creusent toujours tôt, lorsque les chaudrons d'huile n'ont pas encore assez chauffé pour les ébouillanter. Déjà les premiers projectiles ricochent contre leurs larges chapeaux de fer. Mais ils poursuivent, armés de leurs pics. Les sapeurs ont des épaules d'airain. Ils creuseront sans fatigue et en silence, toute la nuit s'il le faut, jusqu'à ce que les murs s'affaissent. Alors, lorsque les catapultes se redresseront subitement et que leurs gueules libéreront des rochers entiers, je verrai la muraille qui tremble puis s'enfonce. Et tandis que les flèches s'abattent sur nous en averse noire, je pense aux récits rapportés des croisades. Ah, cet Orient ! On raconte que le château de Byblos possède une entrée en angle droit ; que celui de Sayun a protégé ses murs avec d'immenses talus, pour décourager les sapeurs, et que les guerriers utilisent une poudre explosive dont le feu résiste à l'eau. Pour ce savoir de la guerre, je partirai un jour là-bas. Et au retour, je réaliserai mon rêve de forteresse. Je l'ai dessiné tant de fois ! Je l'appellerai Château-Gaillard. Ce sera un navire de pierre bâti sur une crête, qui ne négligera aucun angle mort. Il aura une double enceinte, des bastilles triangulaires, une défense échelonnée en profondeur. Autre chose que ces quelques murailles qui, déjà, s'effritent. J'avais prévu d'envoyer des charognes par catapulte, pour infester les lieux. Ça ne sera pas nécessaire. Les échelles ont été calées sur les créneaux. Mes hommes grimpent. Aux barreaux d'en haut, les premières silhouettes tressaillent et basculent, mais, derrière, les autres progressent. À terre, la porte craque sous les coups du bélier.

Pour moi c'est le moment. Je tire mon épée.

J'ai sept ans. Je manie si bien le bâton que mon maître d'armes s'en ouvre à ma mère. Elle dit :

«Donnez-lui des épreuves.» À la quintaine, je renverse tous les mannequins. Elle dit : «Donnez-lui de vrais adversaires.» Je mets Mercadier à terre. J'apprends à caler la lance sous l'aisselle, à maîtriser la vitesse du cheval. Je gagne les joutes et les tournois. Et puis j'apprivoise l'épée. La mienne proteste. Elle impose ma désobéissance. À qui ? Je ne sais pas, mais il y a, dans le combat, quelque chose de l'ordre du refus. Au bout du compte, mon heaume a pris tant de coups que je ne peux plus le retirer. Je dois poser ma tête sur une enclume pour qu'un marteau décabosse mon casque.

En haut du pays, nos armées gagnent aussi. Après Aumale, Henri a fait tomber Neufmarché, plus au sud. À Verneuil, les soldats de Louis, depuis leur tour de siège, ont réussi à lancer des rats crevés dans les citernes. L'absence de pluie a complété le travail. On entend les vomissements et les râles jusque dans la campagne alentour. Les convois qui se dirigeaient vers Verneuil sont arrêtés et pillés. Sans ressources, la ville ne devrait pas tarder à plier. Quant à Geoffroy, il s'est emparé du château de Dol. L'un après l'autre, les fiefs se rendent.

Sur les routes, les messagers se croisent, lancés à plein galop, et parfois les paysans en découvrent un, roulé en boule sur un talus, endormi. Nous envoyons chaque jour des nouvelles à Aliénor.

Derrière son calme apparent déferlent la dépossession de son Aquitaine, la mort de son enfant, l'humiliation de son fils aîné, le despotisme et le savoir-faire d'un homme qu'elle a cru son allié. En un mot, la confiance accordée puis trahie. Déjà, les troubadours écrivent le récit de ce qu'ils nomment «la guerre sans amour».

Il y aura ces sensations que j'aime tant. Le hurlement lorsqu'on se jette à l'assaut des murs. Le galop du cheval qui prend sa vitesse, la certitude de ne faire qu'un avec lui. Le choc des boucliers, le hoquet d'un corps. Mon épée obéit, endure et ouvre l'espace. Parfois j'entrevois le dos énorme de Mercadier, soudain si souple. Il saute, fait volte-face, ses lourds cheveux se gonflent puis retombent sur ses épaules. Le voilà presque en face de moi. L'espace d'un instant nos regards se croisent, et de la gangue de fer qui enveloppe sa tête je peux apercevoir la lueur espiègle de ses yeux, tandis que mon épée, comme douée d'une force propre, plonge de côté pour enfoncer un flanc, et ceci sans que mon regard ne dévie du sien. Je connais toutes ses parades, et entendre sa voix caverneuse hurler mon nom décuple l'ardeur des troupes. Autour de nous, le paysage aussi entre en guerre. Les cascades déversent une écume rouge. Les épis s'allongent, dernier lit des transpercés. Je marche. Maintenant, mon épée ruisselle. C'est le grand calme de l'après-bataille, la balade parmi les cadavres.

Mais, au fur et à mesure des prises, je sens que

quelque chose ne va pas. Je l'écris à ma mère : *Trop de hargne.* Certains hommes attaquent les murs de tuffeau avec leurs poings. Personne n'a gagné une guerre sans maîtriser sa colère. Et aussi : *Attention, nous sommes trop dispersés.* Aucune coalition ne sort vainqueur d'un morcellement. Et enfin : *Ne sous-estimons pas notre ennemi.* Le Plantagenêt a conquis une femme-forteresse et engendré des vaillants. Il nous vaut.

Le 25 juillet, sous les murs de Neufchâtel-en-Bray, en Normandie, l'armée panique. Henri ne parvient pas à la tenir. Les hommes se battent à l'aveugle, sans directives.

De son côté, Louis s'enferre aux portes de Verneuil, qui résiste mieux que prévu. Les assiégés ont inondé les terres au pied des murs, pour embourber les machines. Ils disposent d'une grande réserve de flèches et de vivres. Ils ne se rendent pas, malgré l'empoisonnement des puits et les assauts répétés.

En août, Aliénor m'envoie le premier message d'alarme. Il concerne mon père. Il a d'abord été stupéfait. Sa femme et ses fils ligués contre lui ! On raconte qu'il est resté immobile un long moment. Puis il s'est repris. Il a monté une armée de vingt mille mercenaires, m'informe le messager. Vingt mille ! Mais où a-t-il trouvé l'argent ? C'est Louis qui me répond, d'une écriture fébrile : il a mis en gage l'épée de son couronnement, sertie de diamants. J'abaisse la lettre. Un homme qui vend son épée n'a plus rien à perdre. Ceux-là sont les plus féroces.

En cinq jours, le Plantagenêt franchit la distance entre Rouen et Saint-James, à la frontière entre Normandie et Bretagne. Personne n'a jamais vu un homme aller aussi vite. Il démolit tous les ponts et les moulins qu'il croise afin d'isoler les populations. Les premières forteresses normandes tombent. Mon père plante sa bannière sur les créneaux reconquis. Il sème la terreur parmi nos soutiens. On parle de mises à sac en quelques jours, de centaines de prisonniers, d'une épée si puissante qu'elle serait celle du roi Arthur.

Je ceins la mienne. J'organise les rangs et les ravitaillements, prépare les positions. Je me tiens prêt. Normalement, mon père devrait descendre vers nous. Mais, à ma grande surprise, il redresse sa route vers Paris. Il se jette sur le château de Breteuil, dans la vallée de Chevreuse. La place appartient à un baron anglais. Face à mon père, il abandonne le château sans protection. Au soir du 8 août, Breteuil est un tas de ruines fumantes.

Mon père repart. Il descend vers le Perche. Il cible Louis. Il installe son campement sur une colline de Verneuil. En bas, Louis lève la tête et voit les troupes de mon père en ordre de bataille. Puis il regarde lentement autour de lui. La terre est une immense flaque de boue et de sang. Les bannières ondulent mollement. Alors les fleurs de lis dessinent une certitude. Le roi de France n'aura pas sa revanche sur le mari de sa femme.

Et il se couche. Lui, notre allié, refuse d'engager le combat. Il lève le camp et se replie vers l'île de France. Aujourd'hui encore, je peine à écrire ces mots. Louis part en lâche. Debout sur sa colline, mon père savoure. Le roi d'Angleterre fait fuir le roi de France, sans même combattre.

La nouvelle parcourt toutes les armées. Que ressent ma mère à ce moment-là ? Comprend-elle que, pour la première fois de sa vie, elle est en train de perdre ? La lettre qu'elle m'envoie ne parle que de nous, ses fils. Elle exige que nous nous protégions. Et elle, qui la protège ? Elle doit maintenant affronter la colère de l'Église, que mon père a dressée contre elle. Les clercs envisagent d'annuler le mariage, d'excommunier l'épouse frondeuse, de la punir. Ils citent l'apôtre Paul : « La tête de la femme, c'est l'homme », avec des accents de vierge indignée. L'archevêque de Rouen lui écrit : « Une femme qui ne se place pas sous la direction de son mari viole sa condition naturelle. Reviens, ô illustre reine, vers ton époux et notre sire. Reviens avec tes fils vers le mari à qui tu dois obéir. »

Aliénor se penche et pose doucement la lettre dans le feu.

Quelques jours plus tard, notre père ravage la Bretagne. Il attaque Geoffroy dans la forteresse de

Dol. Il reprend les lieux rapidement, capture dix-sept chevaliers, puis décide d'en finir une bonne fois pour toutes avec les foyers d'agitation. C'est le Plantagenêt que l'on redoute, la sauvagerie laissée libre. Au début de novembre, il écume le Vendômois, l'Anjou, descend vers la Touraine et le Poitou.

J'y suis. Sur les murailles de Poitiers, je vois un nuage de poussière devenir de plus en plus épais. Bientôt, je distingue la bannière des lions d'or, leurs griffes et leurs gueules ouvertes. Heureusement, Aliénor a quitté les lieux. Elle s'est réfugiée dans le fief de son oncle, un peu plus au nord.

Puis je comprends que je me battrai contre les hommes de mon père, mais pas contre lui. Il remonte vers la cachette d'Aliénor.

J'alerte aussitôt ma mère. Il faut absolument qu'elle parte. Je lui donne rendez-vous sur la route de Chartres. De là, nous gagnerons Paris, pour nous réfugier chez Louis.

Je me bats comme se battent ceux qui ont cru. J'appelle toutes les forces d'ici, celles des sorcières et des vents qui s'enroulent. Ici, les grottes ont les parois lisses à force d'être frottées par les écailles des dragons. Je n'ai pas peur. Les soldats du Plantagenêt ont des yeux sanguinaires. Leurs victoires les ont chauffés à blanc. Je connais bien ces hommes. C'étaient les miens. Comme je l'avais prévu, ces mercenaires se sont ralliés à mon père dès qu'ils ont senti le vent tourner. Mercadier est fou de rage, il voudrait les attaquer aussitôt. Je le calme. Il leur manque le savoir de la guerre, qui fait d'un mercenaire un chevalier.

J'établis un plan avec Geoffroy de Rançon. Nous décidons d'encercler les ennemis à la tombée du soir. Une armée de chevaux déployée en tenaille les surprend au moment des repos et des feux. Penchés sur nos montures, nous nous baissons. Mon épée embroche deux hommes en même temps. Mon poignet ne tremble pas. Des silhouettes décapitées marchent encore puis s'effondrent. Je crie les ordres en poitevin, langue que ces brigands ne comprennent pas. Mais ils savent se battre. Nous terminons la lutte en face-à-face. Je me retrouve devant un homme casqué, avec un filet de sang brun qui marque son cou. Je reconnais celui à qui j'ai tranché l'oreille. Je le frappe en hurlant. Derrière, Mercadier m'appelle. Geoffroy de Rançon est touché au bras. Il s'évanouit. Je le charge sur mes épaules tandis que Mercadier nous protège à coups de hache. Parfois, je reconnais un visage sous le casque. Un visage qui avait combattu à mes côtés, dont je connais les goûts, le rire, la voix. Mais à quoi sert une voix pour des hommes sans parole ? Ma lame plonge entre la base du heaume et leurs épaules. Deux fois, le stratagème de mon arrière-grand-père me sauve la vie. Écrasé par le poids d'un soldat, le ressort se libère, ma lame jaillit à la hauteur du cœur et le corps percé ondule, enfin docile.

La nuit, je m'allonge à même la pierre, sur les créneaux. Je monte ma main à la hauteur de mes yeux. Crispée, repliée sur un pommeau invisible, je ne peux plus l'ouvrir ni la détendre. Derrière cette main raide, il y a une immensité. Le ciel est un passant au regard vide. Je fredonne tout bas la chanson de ma naissance et mon murmure se brise. Je pense à Aliénor, à Mathilde, à ces femmes en forme d'étoile, blanche et lointaine. Monte en moi une plainte immense, et je ne sais plus si c'est celle des mères en danger, des enfants seuls ou des guerres sans amour.

J'ignore que mon père a encerclé le refuge d'Aliénor, et qu'elle a déjà fui en secret. Elle s'est déguisée en homme. Ma mère porte un pantalon, une tunique et un bonnet de tissu. À l'annonce du subterfuge, je ne peux pas m'empêcher de sourire. Quand l'Église va savoir ça ! Une reine déguisée en paysan !…

Elle galope à perdre haleine. Elle a presque quitté le Poitou, vise la route de Chartres pour me rejoindre. Elle traverse une forêt. Un filet tombe d'un arbre. Ma mère a le réflexe de sortir ses pieds des étriers. Alors qu'elle essaie de s'en dépêtrer, elle entend derrière elle les cris de son escorte. Elle se retourne lorsqu'une silhouette surgie d'une branche, les jambes en avant, la percute. Aliénor connaît l'art de la chute. Elle se replie, roule au sol et saisit la dague cousue dans la doublure de sa tunique. Il est trop tard : une pointe posée sur son cou la maintient à terre. L'attaquant fronce les sourcils, hésite puis sourit. Il crie : « Nous avons la reine. »

Et me voilà titubant sur les remparts tandis que, en bas, les derniers mercenaires ramassent les corps avec des rires amers, me voilà hurlant et cognant la pierre, mon épée inutile brandie vers les cieux, insultant Mercadier dont les bras épais m'éloignent du vide. Nous avons perdu et ma mère est tombée. Toute ma vie portera l'image torturante de sa capture.

Cette image m'est tellement insupportable que, dans un premier temps, elle me donne des forces. Je décide de continuer l'offensive. Je ne suis pas seul. Dans les mois qui suivent la défaite d'Aliénor, nous sommes plusieurs à nous battre encore. Louis, qui depuis sa honteuse retraite de Verneuil ne doit pas avoir meilleur sommeil que moi, reprend les armes contre le Plantagenêt et se dirige vers Rouen. Le pape s'affole, adresse une missive solennelle à Louis, qui, pour la première fois, l'ignore.

De son côté, Henri ne s'avoue pas vaincu et prépare un débarquement en Angleterre. Là-bas, les plus remontés sont les Écossais. L'habileté de mon père les a rendus fous. Ils forcent les portes des églises, assassinent les femmes enceintes et les prêtres. Dans la campagne anglaise, on croise des chevaux hagards, surmontés d'un cadavre.

Moi, je rallume les Charentes, reprends les places mises au pas. Mais les habitants ont trop peur de la réaction du Plantagenêt. À ma grande surprise, La Rochelle ferme ses portes au moment où j'arrive.

Je me replie sur Saintes, qui me déloge à son tour. Ma compagnie et moi trouvons refuge au château de Taillebourg, au nord de Saintes, chez Geoffroy de Rançon.

Ici, nous avons passé de longues veillées. J'y ai goûté des filles, assisté à des tournois somptueux. Et c'est dans une des chambres qu'Aliénor a passé sa première nuit de noces avec Louis, bien avant que la haine ne dicte sa loi. Geoffroy de Rançon était déjà là. Il nous a connus enfants. Il était à mes côtés lors des premiers assauts contre le Plantagenêt. De tous les fidèles de ma mère, c'est celui que j'admire le plus.

Il m'accueille dans la cour et, de son bras valide, il me serre contre lui. Il a les cheveux blancs, le visage taillé en serpe, fendu d'une cicatrice sur la joue. Il me regarde attentivement. J'y vois de la sagesse, un code d'honneur et l'ombre d'un père. D'une accolade, il me pousse vers la salle.

Le gibier tourne sur les broches. Geoffroy demande des bassines d'eau chaude pour mes hommes. Il veille à leur donner nourriture et divertissement. Il pose deux filles sur les genoux de Mercadier, puis me fait signe de le suivre.

Le calme de la pièce me fait tourner la tête. Depuis combien de temps n'ai-je pas eu le silence ? Soudain je me souviens de l'abbaye de Fontevraud, où les moniales mangent sans un mot et sans visage en face d'elles. Rien ne m'avait plus impressionné que ce rituel. Trois cents femmes assises à de longues tables sous une charpente immense, chacune montrant son dos à celle placée derrière elle, dans un réfectoire tourné vers le soleil… J'avais compris l'attachement de ma mère pour cette abbaye. Cette quiétude, c'était sa part manquante.

Mon ami s'approche du feu, attise les braises. Puis demande d'une voix douce, sans se retourner :

« Et maintenant, Richard, que vas-tu faire ? »

Ma barbe est taillée, mes cheveux sont propres. L'épaisseur de ma cape adoucit les entailles sur mes épaules. Depuis des mois, je n'ai rien porté d'autre que mon armure. Il n'y a qu'une seule chose à savoir.

« Où est-elle ? »

Il pose le tisonnier. Sa voix, oh comme je me souviendrai longtemps de sa voix !

« D'abord, ton père l'a enfermée dans la tour de Chinon. Puis il l'a sortie pour l'emmener en Angleterre. Au moment où je te parle, il est à Barfleur. Il s'apprête à embarquer. Ça ne t'étonnera pas, mais il est avec ton frère Jean, qui voit donc votre mère prisonnière. Ah ! Parmi les captifs, il y a aussi… ta fiancée, Aélis. Avec sa fille en otage, je ne suis pas sûr que Louis se batte encore longtemps. »

Je n'ai que faire d'Aélis et je sais pourquoi. Geoffroy s'assied à mes côtés. Il regarde toujours le feu.

« Ton père va gagner. D'abord, il parviendra à emprisonner le roi d'Écosse. Il y mettra du temps car, hormis un Aquitain, on n'a jamais vu plus coriace qu'un Écossais. Ébranlé par cette victoire, ton frère Henri comprendra qu'il est trop dangereux d'envahir l'Angleterre. Il ira donc prêter main-forte à Louis pour assiéger Rouen. Mais ton père les prendra de court. Il partira de Portsmouth avec quarante navires. Je lui donne deux jours pour apercevoir les toits de Rouen, et un peu plus pour soumettre ses ennemis. Tu en feras partie, Richard. Parce que tu n'as pas le choix. Que voudrais-tu faire ? Affronter ton père au combat ? Il pourrait te vaincre. Fuir dans un autre pays ? Voyons, tu es duc d'Aquitaine. "Relève ce qui est détruit, conserve ce qui est debout." Alors voilà ce que tu feras : tu rendras hommage à ton père. C'est la meilleure façon de protéger ta mère. Et aussi, tu le sais, parce que les perdants s'inclinent. »

Mes frères et moi plions à quelques jours d'intervalle.

Notre défaite prend forme à Montlouis, dans cette campagne des bords de Loire que nous aimons tant. Je mets pied à terre. J'entends un cri flûté et je reconnais celui de la mésange noire. En Aquitaine, on croit aux forces transparentes et bavardes, dont il faut traduire les signes. La mésange en est un. Mais aussi le grand calme vert et brun autour de moi. Je respire l'odeur des champs, des forêts, des cours d'eau, et, soudain, cette innocence me remplit de tristesse. Cette beauté reste indifférente à notre sort. Elle ne veut que croître, insensible à nos vies. Elle se moque des filets lâchés au cœur de ses forêts. Elle ignore la bonté comme l'ingratitude et n'a que faire de trois vaincus face à leur père. Le monde déçoit ceux qui le voudraient meilleur. Mais ma campagne, elle, me survivra avec un grand sourire.

Cette tristesse semble nous toucher tous. Cette fois, pas de tensions. La guerre a exténué mes frères. À les voir descendre de cheval, je sens, dans chacun de leurs gestes, une immense lassitude.

Et je retrouve la même en mon père. Cette découverte me laisse pantois. Le Plantagenêt n'avait pas imaginé que ses fils se dresseraient contre lui. Il en garde une blessure vive et profonde, murmurent ses conseillers. Et c'est exact. Il est debout devant moi, de sa même silhouette trapue, prête à bondir. Mais quelque chose a changé. Ses gestes semblent lourds. Ses paupières sont plus épaisses et ses lèvres incurvées en une expression de dépit. Il y a en lui quelque chose de défait, au sens propre – et je me demande soudain si ce n'est pas lui, au fond, qui a perdu.

Derrière lui apparaît une silhouette mince, gracile comme ma mère. Elle reste dans l'ombre au bord des tentes. Elle ne semble pas hésiter, elle est juste posée là, comme une fleur oubliée. C'est Rosemonde Clifford.

D'une voix lente, mon père énonce l'accord. En échange de notre soumission, Henri reçoit deux châteaux de Normandie ; Geoffroy touche la moitié de la Bretagne ; j'obtiens, de plein droit, deux manoirs en Poitou et la moitié des revenus d'Aquitaine, une façon de spolier ma mère à travers moi.

94

Il en profite pour ajouter, de façon inviolable, qu'il donne à Jean les comtés de Nottingham et de Marlborough, deux châteaux en Normandie, trois en Anjou, en Touraine et dans le Maine, ainsi que plusieurs milliers de livres de revenus.

Cet accord est validé par Louis.

Nous ne cillons pas.

Henri ravale son amertume, une fois de plus. Il n'a toujours pas de royaume, et c'est encore Jean qui rafle les privilèges. Geoffroy, lui, est déjà ailleurs. Il n'a qu'une envie, partir, épouser Constance de Bretagne et gérer son domaine. Moi, j'essaie d'oublier ma présence ici, ce que je m'apprête à accepter, et l'humiliation d'un surnom que tout le pays me prête. On m'appelle «Oc e no», «Oui et non». Je suis celui qui brave et se rend. Je suis une honte à moi seul.

Je croise le regard de mon père. J'y mets tous mes défis perdus, ma haine et mes guerres sans amour; j'y mets une mère qu'on enchaîne; la rage de ne pouvoir la secourir et la revanche promise – son legs en forme de poing serré.

Mais tout cela est vain et je le sais. Arrive la cérémonie d'hommage. Elle a lieu dans la cathédrale du Mans. Elle ressemble à un gros gâteau blanc, vaniteuse, boursouflée. Je n'aime pas cet endroit. La salle est pleine. J'avance parmi les capes de velours doublées de lames. Mercadier, dont les larges épaules dominent la foule, m'encourage d'un faible sourire. Je m'agenouille, tête nue, devant mon père. Dans un instant, je prononcerai le serment d'allégeance. À partir de là, ce sera fini. J'acterai ma soumission. Mon père pourra m'ordonner de brûler l'Aquitaine s'il le souhaite, je ne pourrai pas refuser. Les mots engagent celui qui les prononce. Je me fais violence pour oublier ma mère entrant dans la tour de Salisbury. À l'instant où l'image se dissipe, la cérémonie commence par le premier rituel. Alors je joins mes mains pour les placer entre celles de mon père.

Après la révolte

Mon cher mari croyait m'abattre ? C'est mal me connaître. Pourtant, il a mis les formes… Cinq, dix, quinze ans d'isolement ? Je ne compte pas. Mais je n'ai jamais cédé au découragement. Le Plantagenêt aurait trop apprécié. La haine, que voulez-vous. La haine maintient en vie. Bien sûr, il a touché mon point faible, puisqu'il a interdit à mes enfants de communiquer avec moi. Mais je tiens. Un pouce de désespoir quand le matin trempe ma cellule d'un éclat terne, une once de faiblesse à l'évocation de Richard, et il gagnerait un peu d'ascendant sur moi. Cette éventualité me fait horreur. C'est ainsi. On peut faire huit enfants à un homme et lui déclarer la guerre.

Depuis qu'il m'a emprisonnée, il vit au grand jour avec Rosemonde Clifford. Il l'emmène partout. Elle a pris ma place. Elle siège à côté du Plantagenêt dans les banquets, assiste aux cérémonies officielles. Lors des parades, elle chevauche sous les couleurs du royaume d'Angleterre. Je ne vais pas lui jeter la pierre, allez. En matière de nuit partagée, je ne me suis jamais rien interdit. Et puis, la petite roturière qui a flanché pour un roi… J'aime beaucoup. Il y a quelque chose de romanesque à braver les convenances. J'en sais quelque chose. Comment pourrais-je me sentir menacée ? Je suis encore là et mon mari le sait. Il me redoute. Face à ça, Rosemonde ne pèse pas lourd. C'est un vieux conseil de sorcière : pour ébranler un homme, misez sur la crainte et non sur la culbute. De ce côté-là, j'ai gagné. Le Plantagenêt me voit comme un danger. Après la révolte, il a relâché le roi d'Écosse et conclu une trêve avec Louis. Pour moi, aucune clémence. Je suis la seule qu'il ait vraiment punie. Durant toutes ces années, je guetterai l'annonce de sa mort – ma libération, au sens propre.

Il m'a changée de prison au gré de ses caprices. Winchester, Buckingham, Ludgershall ou Salisbury… Surtout la tour de Salisbury.

Combien de temps dans ce donjon ? Depuis la fente qui me sert de fenêtre, je regarde les arbres. Leurs branches noires ondulent comme des bras et j'y vois un salut. La pluie a beau tomber, la pluie d'ici et ses gros paquets de vent, ces arbres ne plient pas, luisants sous la gifle raide. Je pense à ceux de mon pays. Je suis remplie de forêts. Où que j'aille, je les emmène. J'ai, au creux de moi, de longues chevauchées, des taillis de bouleaux qui surgissent, hirsutes, dans un éternel réveil. Je passe devant de jeunes sapins à la tête mangée par les chevreuils, des bosquets radieux, une hêtraie au bord d'un étang. Une dentelle d'ombre ondoie au sol. Le soleil voudrait percer les feuilles. J'entre dans la demeure du chêne, de l'orme et du hêtre – ils aiment pousser serrés, unis contre la lumière. À Fontevraud, je marchais longtemps parmi ces sous-bois, dans le parfum d'une terre froide et humide, et je savais que, au détour d'une haie, s'ouvrirait un autre domaine, celui du saule, du frêne, de l'aulne, lesquels vivent écartés les uns des autres, veulent du ciel et du grand air. Un chuintement, un bruit froissé, c'est un sanglier qui cherche l'eau croupie d'une mare. Au printemps, les abeilles s'agglutinent sur les tilleuls. Alors les arbres eux-mêmes semblent bourdonner, pareils à de grands essaims plantés dans la terre. Quel autre pays offre pareil spectacle ? Et sur les routes, les convois passent, qui chantent mon nom. Un parfum de viande s'échappe des hameaux. Bientôt les grandes fêtes…

Mais je ne dois pas me laisser distraire. La mémoire est un soldat aux jambes maigres et infatigables. Elle attaque de nuit. Inutile de la fuir. Elle grimpe vos murs et rampe sous vos portes. Elle agit sans haine, avec la lenteur sereine de celle qui connaît ses droits. Qu'importe que son scintillement ressemble aux robes des fées. Le dormeur, lui, ne peut plus bouger, et se sent gagné par le froid.

Ma défaite se joue là. Je me laisse envahir. Je suis allongée dans une cellule et voici Richard qui sort l'épée, puis lève les yeux vers moi ; voici son beau regard anxieux. J'entends les chevaux ramenés dans la cour, mes fils Henri et Geoffroy reviennent étourdis d'une chasse. Ils ont les joues rouges de course et de forêt. À présent, la quiétude d'une salle et d'un feu, face auquel se tient Mathilde, toujours aussi grave. Elle tient sur ses genoux Jeanne, ma cadette, au menton lourd de sommeil. S'élève la voix d'un poète qui raconte Tristan et Yseut, leurs ruses pour s'aimer en paix. Mathilde écoute. Et, autour de ces trésors, mes murailles en forme d'écrin.

Souvent, les geôliers marmonnent des politesses en poussant mon écuelle. Ils m'ont préparé de la volaille et transmettent des messages. Visiblement, mes soutiens à l'extérieur ne faiblissent pas. Un bon signe. Je suis encore la reine. Et puis la pénombre a du bon. Je ne peux pas voir l'état de mes cheveux.

Aélis insiste pour me coiffer. Elle a été enfermée avec moi. Cette petite est fille de Louis, roi de France, elle est fiancée à Richard, pourtant elle se comporte comme la dernière des servantes. Recroquevillée contre le mur, elle sursaute à chacun de mes pas. Si j'ouvre la bouche, elle se lève d'un bond pour m'offrir sa révérence. Je l'observe, un peu perplexe. Richard, promis à cette petite chose informe et sanglotante ?... Quatorze ans et déjà des peurs de vieille dame ! Est-ce pour cette raison que Richard ne veut pas l'épouser ? Moi, le désespoir me rend nerveuse. Je ne peux pas passer mes journées avec quelqu'un qui renifle. J'ai interrompu une révérence d'Aélis en lui levant le menton. Ses yeux étaient écarquillés d'adoration et de terreur. L'espace d'un instant, j'ai cru voir ceux de son père. L'atroce docilité de Louis, ce lâche, vaincu sans avoir livré bataille.

Alors j'en ai profité pour lui poser la seule question qui vaille : pourquoi n'épousait-elle pas mon fils ? Aélis a ouvert la bouche sans émettre un son. Un flot de larmes a jailli de ses yeux. J'ai soupiré. Est-ce qu'il n'y avait pas déjà assez d'eau, dans ce pays ? Je lui ai reposé fermement la question. Cette fois Aélis s'est tordue sur le sol et j'en ai eu assez. Je lui ai saisi le col. Elle avait ordre de me faire une réponse claire.

Le Plantagenêt l'avait violée. Voilà pourquoi Richard refusait de l'épouser.

Je n'ai même pas été surprise. Ainsi vont ceux qui pensent qu'un désir est un droit. Connaissant le Plantagenêt, je pouvais m'y attendre. Mais j'ai pensé à Richard. Le savait-il, que son père avait abusé de sa fiancée ? Si oui, par qui l'avait-il appris ? Pourquoi ne m'en avait-il pas parlé ? Mais le savait-il seulement ? Et puis j'ai arrêté ces questions, parce que j'étais en train d'étrangler Aélis, qu'elle suffoquait, et qu'on n'obtient aucune réponse d'un cadavre.

Les nuits suivantes, j'ai gardé les yeux ouverts. On n'explique pas tout dans ce monde, et je suis sûre que les pensées d'une mère enfermée arrivent, d'une façon ou d'une autre, aux oreilles de son enfant. Alors, Richard, du fond de ma tour, je t'envoie toutes mes forces. Pense aux battements de cils qu'on ne voit pas, nichés au creux des collines. Tu tiendras bon. On survit à tout, y compris à un père. Il t'aura volé le pouvoir, l'avenir, ta future femme et notre royaume. Car j'ai aussi appris que tu ravageais l'Aquitaine, sur son ordre. Tu me trahis, mais peux-tu faire autrement ? On respecte toujours son serment d'allégeance. C'est moi qui te l'ai enseigné. Les mots ont une telle valeur. D'ailleurs, on pense que l'ouïe est un sentiment. Alors je voudrais te dire, mon fils, que je t'entends.

Et aussi que je te pardonne. On me dit que tu es un animal, le soir avec une fille enlevée à sa famille, à l'aube prêt à ruiner tes propres fiefs. Va et massacre puisque tu n'as pas d'autre choix. Sous tes dehors de bête aux abois, je sais la souffrance et l'humiliation. Et je sais aussi l'amour que tu me portes. Cet amour, je le redoute autant qu'il me fait vivre. Tu me comprends car, dans le fond, tu es comme moi. Solitaire, trop inquiet pour être complètement heureux. Nous envions les gens aux bras ouverts, au verbe facile, qui croient en un monde sans adversaire. Mais nous, nous sommes aux aguets. D'où viendra le danger, voilà notre question. Enfant, tu voulais te battre contre l'orage. Il fallait ta chanson murmurée par Mathilde pour que tu t'apaises. Et les fleurs de lis, aussi, dont j'aimerais tant qu'elles recouvrent le sol de ma prison. Tu étais force en cavale, nourrie de ma distance. Si, aujourd'hui, je venais à toi sourire aux lèvres, prête aux caresses, sans doute perdrais-tu de ta belle violence. Elle ne me réjouit pas en tant que telle ; elle me rassure parce que je vois que tu peux te défendre. Sauras-tu comprendre cela ? C'est la logique d'une mère. Mes silences auront été tes meilleures armes. Contre eux, tu as eu envie de te battre ; grâce à eux, tu sais donc te protéger. Et c'est bien cela qui m'importe le plus, que mon fils se protège, quand on sait que la mort peut vous prendre à trois ans.

Ma mère, je pille avec l'allégresse obscène du condamné. Je sais que vous êtes quelque part en Angleterre, enfermée dans une tour. Moi je ravage et cette liberté est une immense injustice. M'entendez-vous repousser la nuit ? Voyez-vous mes efforts pour me punir chaque jour ? Vous êtes mon appui, ma seule armure. On ne dit pas ces choses-là à sa mère, j'imagine. Mais je ne supporte pas qu'on vous maltraite.

Richard, sais-tu comment je m'endors ? Sais-tu ce qui me fait respirer encore dans les événements terribles ? Je répète tout bas une prophétie. Elle gambade de bouche en bouche dans tout le pays. Pas un foyer où elle ne soit murmurée, le soir devant le feu. Elle vient d'un livre qui raconte l'histoire de l'enchanteur Merlin – l'Église n'a pas réussi à remplacer les enchanteurs par Dieu. Les gens préfèrent encore la magie à la religion, et c'est bien le signe d'une excellente lucidité. Ce livre recense donc les prophéties de Merlin. Il parle d'un «aigle à deux têtes» et ce serait moi, puisque deux fois reine, de France et d'Angleterre. Il dit surtout: «Le roi du Nord te retient resserrée comme une ville qu'on assiège. Eh bien! Tes fils t'entendront. L'Aigle à l'alliance rompue se réjouira de sa troisième nichée.» Alors les murs s'écartent. Une vague d'espoir me submerge car ma troisième nichée c'est toi, Richard.

Je détruis nos terres. J'ai renversé les murailles et capturé nos amis. Tous nos alliés durant la révolte... Mais voilà le plus laid: toujours sur l'ordre de mon père, j'ai fait prisonnier Geoffroy de Rançon. Me pardonnerez-vous? J'ai encerclé son château où j'avais trouvé refuge. Oh, son visage de serpe qui me regarde étonné, sa main qu'il me tend en silence pour que je l'enchaîne, puisque l'autre est blessée! Et c'est moi qui l'avais sauvé, hissé sur mes épaules! Il n'a pas prononcé une parole. Il s'est contenté de cette expression navrée. Je l'ai revu, tourné vers le feu, prédisant ma défaite d'une voix bienveillante. Nous avons traversé la grande salle, celle-là où, il y a quelques mois, Mercadier et mes hommes ripaillaient après les combats. Je tenais Geoffroy, ce grand seigneur, en laisse. Qu'il soit l'ami de toujours, qu'il m'ait accueilli après la débâcle n'y changeait rien: mon père avait exigé que je le fasse prisonnier. En quittant le château de Taillebourg, les hommes hurlaient sur les créneaux «Oc e no», en crachant au sol.

Comme tu dois te sentir coupable ! Et si jamais tu sais pour Aélis et ton père, comme ta loyauté envers un serment doit te paraître cruelle ! N'aie pas peur, et pense à la prophétie. Tu es la troisième nichée de l'Aiglesse et les sommets ne sont jamais si hauts.

Je sais pour Aélis. Je n'en ai jamais parlé avec elle. J'ai pris soin de la fuir comme on efface une tache, une humiliation. Je ne sais même pas ce qu'elle devient. Chaque fois qu'on me parle de ce mariage, j'esquive. Je promets, je mens, je gagne du temps. Comprenez-vous maintenant pourquoi j'aime tant les filles des tavernes ? Elles ont beau avoir connu mille hommes, mon père ne les a pas touchées. Elles sont pures à leur façon.

Nous réparerons. «Relève ce qui est détruit, conserve ce qui est debout.» Je n'ai pas renversé ton père, c'est vrai, mais j'ai gagné la guerre des mots. Il y a la prophétie dont je t'ai parlé. Mais d'autres textes portent ma trace. Les chansons, les poèmes, les livres que j'ai initiés ou inspirés sont les témoins de ma victoire. Mon armée, ma vraie, celle qui passe les siècles et ne plie devant personne, c'est la littérature. Le Plantagenêt peut bien roucouler avec Rosemonde, violer Aélis et enfermer sa femme… Les temps retiendront les pages que j'ai fait écrire. J'ai nourri, abrité, encouragé les poètes. Je leur ai commandé des histoires qui me survivront, comme on lâche un oiseau. On le perd de vue mais l'on sait qu'il traversera les pays. Désormais, où que je sois, quoi qu'il m'arrive, les livres résonnent d'une reine enfermée dans un palais de verre, d'une forêt de Brocéliande et de châteaux cachés au fond des eaux. Plus personne ne s'étonne des épreuves qu'un homme doit passer pour séduire une femme : les textes ont inculqué à l'amour quelques rudiments de courtoisie. J'ai fabriqué du rêve et le rêve, au contraire de la terre, n'appartient à personne. Les peuples qui ne retiendront qu'un seul livre deviendront fous. Ils psalmodieront des phrases comme les ânes mâchent de l'herbe. Mes textes à moi sont assez hors la loi pour ne pas vouloir imposer la leur. Ils sont heureux d'être saisis par d'autres mains, de rouler dans des bouches inconnues, de ne jamais être lus de la même façon. Outre-Rhin, après les Alpes et les Pyrénées, ces lieux ont désormais leurs chants, leurs tables rondes et leurs femmes infidèles. Mon grand-père, le premier troubadour, comme il aurait été fier ! Comble de l'ironie, en Angleterre, la légende du roi Arthur s'est tellement développée que le Plantagenêt a décidé de faire rechercher sa tombe. Dire que c'est moi qui ai eu l'idée d'associer Arthur à la lignée royale…

Bien sûr, sur ce terrain-là, le Plantagenêt essaie de se battre. Il a demandé à ses chroniqueurs d'écrire sa version des faits. Je le sais grâce à cette main gantée qui m'apporte un message en même temps que le repas. Je déroule le papier près de la fente de lumière. Ainsi donc, voici ce qu'on raconte : ce serait Henri le seul responsable de la guerre. Moi, on m'efface de l'histoire. Je n'existe plus. Je lis : « Henri seul était coupable. Il entraîna une armée entière contre son père. Ainsi la folie d'un seul rend fou un grand nombre. »

Quelle farce ! Comme si mon aîné avait une once de folie ! Il est incroyablement raisonnable, voilà son drame. Et personne n'a jamais chahuté le monde en étant sage. Pauvre Henri. Je revois son visage si semblable à celui de son père, lui qui toujours essaie de s'affirmer et n'y parvient pas, empêché par un père, coincé entre deux frères, un flamboyant et un fantôme. Un soir, il avait convié tous les chevaliers prénommés Guillaume. C'était un jeu, disait-il, histoire de passer le temps. Guillaume... Ils furent plus de cent à se présenter ce soir-là.

Aujourd'hui, c'est le premier jour d'été. L'Angleterre est encore plus sinistre. Elle ignore les champs orange, le pas des troupeaux qui rentrent dans la lumière rasante du soir. Pays de ruines et d'épieux, aux saisons entassées, capable seulement de retenir. Une prison aux douves en forme de mer.

J'entends les mouettes. En me hissant un peu, j'aperçois la cathédrale. Ah, l'arrogance de ceux qui rivalisent avec le ciel ! J'ai une petite joie secrète. J'aime penser que les hommes d'Église, dans leur bel édifice, savent que je les regarde. J'ai passé ma vie à les défier. Thomas Becket, les évêques ou le

pape : entre eux et moi, l'évangile de la méfiance.
Lorsque j'ai rendu ma couronne de reine de France,
ils se sont étranglés. Cette fois, je les achève. Une
épouse défiant son mari, avec l'appui de ses fils !
Une femme capable de donner des ordres, de lever
une armée, d'organiser une guerre, une femme
qui fait des hommes ses alliés ! Pour ces eunuques
au crâne lisse, autant évoquer l'enfer. L'évêque de
Rennes a même écrit un pamphlet contre les reines :
« Elles sont aussi mauvaises que les servantes, car de
là sourdent les haines, les mêlées et les rapines. » Il a
raison. Une reine n'est jamais qu'une servante ambi-
tieuse.

Les jours passent et j'essaie d'isoler une sensa-
tion heureuse. C'est un talisman pour supporter
les heures qui suivent. Les premiers jours d'été
m'amènent un peu d'air marin. Ce parfum suffit
pour tenir une journée entière. Le lendemain, un
accord de flûte, joué quelque part dans la ville,
m'égayera assez pour deux nuits. Alors je suis
dans mon palais, entourée de poètes. Je suis sur
une route, dans les gradins d'un tournoi, je suis
cette « reine d'un jour d'avril » dont le refrain, il y
a des années, gambadait dans les rues de Poitiers.
J'apprivoise la mémoire. Elle devient une alliée.
La mémoire vient à bout du regret, car, au fond,
le chagrin d'une chose disparue est moins fort que
son souvenir. Si je me rappelle mon château, un
sourire de Richard ou un gibier ramené à l'aube,

alors qu'importe de les avoir perdus ? La mémoire me permettra toujours de dessiner un royaume, un bonheur et une chasse. Il n'y a pas de perte s'il y a le souvenir de la perte.

Un matin, on m'informe que le Plantagenêt a trouvé un mari pour ma petite Jeanne. Elle a onze ans. Elle épousera le roi de Sicile. Comme c'est loin ! Pour aller jusque là-bas, ses frères l'escorteront. Henri lui fera traverser la Normandie jusqu'en Aquitaine. Richard prendra le relais jusqu'à Saint-Gilles-du-Gard, où Jeanne s'embarquera pour l'Italie. J'ignore à quoi ressemblera sa robe de mariée. Je sais seulement que l'escorte luxueuse sera conduite par les évêques de Winchester et de Norwich. Je ne sais presque rien, sauf qu'elle part sans m'avoir revue.

Ces pensées sont funestes. Je le sais. Mais lorsque les cris des corneilles résonnent de façon lugubre et que cet horrible ciel anglais se gonfle d'eau, je renonce à me battre. La mémoire redevient une ennemie.

Je me rappelle le jour où j'ai accompagné Mathilde jusqu'au port, pour rejoindre son futur mari. Elle avait onze ans, elle aussi. Elle chevauchait comme moi, à la garçonne. Derrière nous suivait un cortège de bagages. J'avais préparé un somptueux trousseau de jeune mariée. Une princesse d'Aquitaine connaît son rang. Quarante coffres et autant de sacs de cuir, remplis de robes et de bijoux, courbaient les bêtes. J'y avais ajouté vingt-huit livres d'or pour décorer la vaisselle.

Lorsque tout fut chargé sur les trois bateaux, j'ai levé la tête vers les tours de Douvres, que le Plantagenêt veut imprenables. La forteresse narguait la mer. Absurde arrogance, en regard du drame qui se jouait à ses pieds : ma fille partait. Elle emportait les rubans de Bagdad pour ses coiffures de fête. Elle emmenait aussi une certaine confiance.

Elle a levé les mains vers moi. Ses poignets blancs ont presque étincelé. Sa nef glissait vers son époux, le duc de Saxe, de vingt-sept ans plus âgé qu'elle.

Au fond, les adieux me ressemblent. En silence, en secret.

J'ai fait de mon mieux. J'aurais dû parler, et caresser, mais je porte en moi trop de méfiance pour être douce. J'ai avancé avec la certitude que mes enfants vivraient bien. Je n'ai eu que cette règle. Ils vivraient bien. Me suis-je trompée ? Où sont les bienheureux qui dorment chaque nuit avec la certitude d'être de bonnes personnes ? J'ai fait en sorte que mes filles enfilent leurs pèlerines et sortent aux premières lueurs du jour, car la nature fait frémir à ces heures-là. On m'a dit de corseter leurs corps, de surveiller leurs rêves, de combler leur temps d'aiguille et de broderie pour les empêcher de penser. Or mes filles savent lire, écrire, réfléchir, et, c'est ma touche personnelle, estimer les poètes. Tout cela sans émettre une seule plainte. Je ne les ai jamais entendues geindre, ni hausser la voix, ni rire, d'ailleurs, si je suis honnête. Je n'ai pas su leur apprendre la joie mais je les ai armées. Mes filles auront les maris que le jeu du pouvoir exige. Elles ne choisiront rien, hélas, mais, quel que soit le sort qui leur est réservé, elles résisteront. Aujourd'hui je les considère sauvées, car hors d'atteinte. Incapables de rire, mais le menton haut et les poings serrés. Est-ce une erreur de vouloir protéger ceux qu'on aime ?

Avec le temps, je pourrai penser à mes enfants sans perdre le sommeil. J'apprendrai même à accepter l'isolement et la privation de liberté. De ce côté, je suis patiente, et je crois en le moment venu qui réglera les comptes. Les prophéties ne se trompent jamais. En revanche, ce que je ne peux pas accepter, c'est l'impuissance. Poison lent, venin insidieux qui ronge la tête. J'entends que les nouvelles venues d'Orient sont alarmantes ; que les musulmans veulent reprendre nos villes ; que le pape a lancé un appel pour secourir les chrétiens de Syrie, du Liban, de Palestine. J'entends aussi parler de mon dernier fils, Jean, qui mériterait un coup d'épée, et du rappel exaspéré de Louis au Plantagenêt pour que Richard épouse Aélis… Les rumeurs du monde me parviennent de façon assourdie. Et ce flux coule à mes pieds sans que j'y prenne part. Je trépigne. Je sais exactement ce qu'il faut tenter, à quoi il faut renoncer, comment rugir. Et je regarde les arbres par une fente.

Parfois, le Plantagenêt décide de m'accorder une sortie. Elle dure quelques jours. Pas une once de mansuétude dans cette décision, juste un esprit pratique. Il a besoin que l'autorité royale supervise le royaume lorsqu'il est absent trop longtemps. Il s'arrange toujours pour que je ne puisse pas voir mes enfants. Il a placé mes filles loin de moi. Quant aux garçons, ni Richard ni Henri ne sont informés de ma brève libération. Jean, lui, accompagne son père, comme d'habitude.

Je ne sais pas où on m'emmène. Je goûte à l'air frais de la campagne, puis je me retrouve dans la chambre d'un château dans le Wiltshire, à Ludgershall ou Buckingham. Jour et nuit, je suis surveillée par les sbires du roi. J'ai une petite ruse pour les humilier. Je marche, et discrètement je dégrafe ma cape. Elle tombe, les soldats n'ont d'autre choix que de la ramasser. Mais je les ignore. J'avance et, eux, ils portent ma cape.

Quand j'en ai terminé avec les comptes, les doléances, les commandes et les lois, alors j'organise une veillée avec mes troubadours. Je rassemble ceux qui sont encore en Angleterre, même s'ils ne sont pas nombreux. Il faut toujours les dérider un peu. Depuis que je suis prisonnière, ils ont la mine sombre. Je les pousse à rire et à composer. Alors j'écoute, les yeux clos, le chant de mes victoires. Les poèmes racontent des libertés, des fratries unies ; ils dessinent des pays fidèles comme aucun homme, qui mêlent l'haleine tiède des arbres à la peau diaphane des rivières, des landes, des dunes et des marais. Mon pays. Les troubadours me le rendent à chaque fois.

Ils me donnent aussi des nouvelles d'autres contrées. Le charme se rompt. Voici les sursauts du monde. J'apprends que le pape envisage une nouvelle croisade en Syrie. Moi, j'y suis allée. Deuxième croisade, en 1147, quand j'étais reine de France. Nous étions partis de Metz pour arriver à Antioche. Deux ans de voyage. Il était hors de question de laisser Louis partir seul. Depuis quand la route est interdite aux reines ? Je parle le latin. Que je sache, la route se dit *via*, et la vie, *vita*. Une petite lettre de différence aurait la force d'une loi ? J'avais pris avec moi les robes, les bijoux et toutes les duchesses du royaume. Jamais un voyage en Terre sainte n'avait compté autant de coquettes. Bien sûr, le clergé avait hurlé au scandale – le signe qu'il est en bonne santé. Les parfums de la ville d'Antioche m'accompagnent encore. Ils sont faits d'oranges, de sable, de dattes, ils se mêlent à la brûlure du soleil, à l'acier poli des poignards.

Puis on me ramène. Je retrouve ma cellule. Très loin de l'Orient… J'y suis seule désormais. Aélis a été emmenée à la cour de France, car Louis, dit-on, va très mal. Son fils Philippe a quinze ans, a commencé à gouverner. Il paraît qu'il ne cesse de tracer des plans, d'inventer une nouvelle architecture de châteaux. Qu'il dessine ! Que mon ancien mari meure ! Qu'Aélis construise sa vie loin de Richard, puisqu'elle n'a pas su se défendre ! Que tous les faibles débarrassent le plancher !

Aélis partie, j'ai plus de place. J'ai demandé que le sol soit pavé pendant mon absence. On y a ajouté un lit. En somme, une chambre. C'est déjà mieux.

Il y a même de bonnes nouvelles. Elles sont rares, mais lorsqu'elles tombent, sonnez trompettes ! Ainsi, j'apprends que Rosemonde Clifford est morte. Morte ? Oui, me répond le geôlier (il faudra l'anoblir, celui-là, à ma sortie. Il me rappelle Mercadier, aussi large et dévoué). Morte, donc, et enveloppée de rumeurs. On murmure que je l'ai empoisonnée. Le Plantagenêt m'accuse dans tout le pays. Il a demandé des textes et des récits qui mettraient en scène mes talents d'assassin. La belle affaire ! Ce qui me fait sourire, ce n'est pas que l'on m'imagine libre ; c'est de penser que, si je l'avais été, je me serais préoccupée de la mort de Rosemonde. Comme si je lui accordais assez de prix pour vouloir l'empoisonner ! En revanche, ce qui m'a fait chanter, le cœur léger, c'est de savoir le Plantagenêt dévasté. Du fond de ma tour, j'ai même remercié Rosemonde pour ce cadeau. A-t-il encore hurlé une de ces colères, comme chaque fois que le sort lui résiste ? S'est-il roulé à terre en mâchonnant du foin, la tête cramoisie ? Il paraît qu'il a fait recouvrir sa tombe de centaines de bougies. La seule délicatesse qu'aura eue cet homme, c'est envers un cadavre.

114

Mais l'équilibre du monde réclame sa part de souffrance. Les bonnes nouvelles ont un prix. Et celui de la mort de Rosemonde a été exorbitant. Quelque temps après, on me prévient d'une chose redoutée. Richard et Henri se font la guerre. Face à ça, je ne peux pas me battre. Mon souffle se bloque. Derrière la porte, la voix du geôlier m'appelle et s'affole. Je me laisse glisser contre le mur. Je dois me reprendre mais mon corps est comme à la mort de Guillaume, une masse inerte et froide. Impossible de me lever, ni de fendre ce brouillard cendré qui a tout recouvert. J'entends s'ouvrir les verrous, grincer la porte. Des mains me soulèvent. Je sens le moelleux du lit, la fourrure posée sur mes jambes. J'ai froid. Je dois certainement ordonner quelque chose car une voix s'élève, hésitante, et raconte. Mais peut-être est-ce moi qui, subitement, entrevois tout. Peut-être est-ce ma propre voix qui livre ce que je craignais depuis si longtemps, transformant les catastrophes en leçon connue par cœur, cachée dans les tréfonds.

Richard et Henri. Leurs différences s'étaient fondues dans la bataille menée contre leur père. À présent que tout est fini, que la défaite a un goût amer, les rivalités refont surface. Avec quelle vigueur ! C'est le Plantagenêt, bien sûr, qui est à l'origine de la discorde – toujours lui, il ne connaît que les fractures. Il a dû chercher longtemps comment allumer la guerre entre nos enfants. Il a trouvé. Se rappelant subitement qu'Henri avait été couronné roi, il a ordonné à Richard de lui donner l'Aquitaine. Richard a refusé. Je devine, je peux voir Henri crisper les mâchoires, lui qui voyait enfin l'occasion de gérer un royaume, lui qui frôlait un rêve, celui de gouverner. Et je vois aussi Richard, calme et menaçant, tenir bon, défendre notre royaume à tous les deux. Le ton monte. Ils en viennent aux insultes, puis éclate la violence enfouie. La guerre est déclarée. Mes fils se battent avec la haine qu'autorise la fraternité. Henri réussit même à rallier Geoffroy ! Il dévaste l'Aquitaine puisqu'il ne peut pas l'obtenir – ô la force criminelle des espoirs déçus ! Sa brutalité terrifie. Il pille même les églises. Mon peuple est exterminé. Henri saccage mon Aquitaine et c'est Richard qu'il assassine derrière chaque habitant. C'est nous qu'il élimine à chaque famille brûlée vive. Et c'est moi qu'il pourchasse lorsqu'il s'élance derrière les mères hurlantes. Et j'entends l'amertume d'un fils né après un frère mort et juste avant un brave. Un enfant couronné mais sans règne. Un esseulé, et non pas un solitaire, qui assista, impuissant, à l'effondrement de tous les hommes autour de lui, depuis un père qui assassina Thomas Becket, le seul homme en qui Henri avait confiance, jusqu'à Louis et sa lâcheté. Avec tant de douleurs, peut-on encore parler de guerre ? demande la voix – la mienne ou celle d'un autre, qu'en sais-je, mes membres sont gelés et je n'aspire qu'à rejoindre mes fils. De son côté, Richard défend vaillamment les places menacées par son frère. Mon Aquitaine se déchire. Angoulême ferme ses portes à l'approche d'Henri mais Limoges lui ouvre les bras. Ce qui ne l'empêche pas de voler le trésor de la ville : il s'enfuit avec vingt-deux mille sous limousins ! La fortune de Limoges ! Mon aîné devient brigand. En mai de cette année 1183, il pille le sanctuaire de Rocamadour, prend les rives de la Dordogne, gagne la ville de Martel et il s'effondre. Il tombe, poursuit la voix, et cette chute paraît presque incongrue alors que le printemps vient, que les tilleuls s'apprêtent à se recouvrir d'abeilles. Henri se tient le ventre. Il crache du sang et se tord, si bien que l'évêque de Cahors est dépêché en urgence. L'agonie dure une semaine. Mon grand garçon part et je suis enfermée. Il va s'éteindre sans savoir que, quelque part en Angleterre, on me maintient sur un lit trempé de larmes. Et tandis qu'une main éponge mon visage, Henri supplie son père de se réconcilier avec lui. Il demande à le voir une dernière fois. Le Plantagenêt refuse. Son fils aîné meurt et il ne se déplace pas.

Néanmoins il lui transmet une bague. Le messager coud le petit sac de cuir à l'intérieur de son manteau et part ventre à terre la remettre à Henri. Cours, messager, apporte le dernier signe d'un père au fils qui désespéra de ne jamais en recevoir. Lorsque Henri découvre le bijou, il le glisse à son doigt et presse le saphir sur ses lèvres blanches. Alors il peut demander une simple tunique pour qu'on l'allonge dans l'église, afin de recevoir l'Eucharistie. C'est ainsi, étendu sur les dalles, qu'il trouve la force d'articuler une dernière requête qui me concerne directement cette fois : ma libération.

Sa libération, oui, «que notre père libère notre mère et fasse preuve d'indulgence», tels ont été les derniers mots de mon frère aîné. Le sang dégoulinait de sa bouche et trempait les pierres mais il les a prononcés distinctement avant que sa tête ne roule, avec une telle intensité qu'un messager est reparti aussitôt avertir le Plantagenêt. Henri portait sa bague, il avait pressé le saphir contre ses lèvres. Au seuil de la mort, il a donc convoqué des valeurs nobles : le pardon et la clémence. Après s'être retourné contre moi, après m'avoir affronté et avoir dévasté l'Aquitaine, il revenait enfin à lui.

Des jours qui suivent, je ne garde qu'un souvenir confus. J'entends les cloches sonner avec colère ; le froissement des habits de lin qu'Henri portait le jour de son sacre et qu'il portera dans la tombe. Il sera enterré à l'abbaye de Fontevraud. Les visages se succèdent, soucieux, l'évêque de Cahors et celui d'Agen, l'abbé de Dalon, le prieur de Rozac, et d'autres dont j'ai oublié le nom. Je croise le regard clair de Philippe, nouveau roi de France, que j'ai connu enfant. Je lis dans ses yeux que nous ne resterons pas amis. Quelque chose se prépare. Mais ce n'est pas l'heure de s'en préoccuper. Le temps est à l'ivresse, à la consolation des frères trahis. Je sens la poigne de Mercadier qui, à l'aube, me soulève d'une table et me charge sur son épaule, traverse la cour et me lâche sur un lit tandis que résonnent, dans le château, les sanglots du Plantagenêt.

Il me manque ma mère. Je ne sais même pas si elle a été informée. «Elle le sait, me certifie Mercadier. Votre père a envoyé un émissaire lui porter la nouvelle.»

Ainsi, mon père n'est pas allé lui-même annoncer la mort de leur fils.

Mathilde arrive d'Allemagne avec son mari le duc de Saxe. Je me retiens pour ne pas courir vers elle. Elle ne sourit pas. Elle vient de perdre un enfant et elle est à nouveau enceinte. Comme Aliénor il y a des années, lorsque Guillaume est mort alors qu'elle attendait… Mathilde.

Je presse les mains de ma sœur contre mes lèvres. Belle jeune mère en deuil, si proche de la nôtre. Je sais si peu sur elle. À quoi ressemblent ses jours, ses lectures, quels sont les paysages qu'elle voit le matin? Mais la seule chose que je lui dis, c'est de partir très vite pour l'Angleterre. Il faut que notre mère voie un de ses enfants.

J'ai beaucoup à faire. Je commence par dépouiller Geoffroy de ses châteaux bretons, puisqu'il a prêté main-forte à Henri dans sa guerre contre moi. Je réduis à néant ce stupide cadet. Désormais, il ne possède plus grand-chose et ses anciens seigneurs l'accueillent sous des quolibets. On raconte que, pour oublier son humiliation, il organise un tournoi par jour. Je lui souhaite de finir piétiné sous un cheval.

Puis je prends le contrôle des hommes d'Henri. Des mercenaires, comme toujours. Je sélectionne quatre-vingts d'entre eux, des Basques, les plus coriaces, et je les fais aveugler en place publique. Puis j'attaque les citadelles qui s'étaient ralliées à Henri, à commencer par Limoges. Je rase les murailles de cette ville qui, il y a longtemps, nous fêtait, ma mère et moi.

Comme je m'y attendais, mon père me demande encore de céder l'Aquitaine, à Jean cette fois. Et, à nouveau, je refuse.

Au bout de quelques mois, je peux m'asseoir près d'un fleuve et poser mon épée. La berge est faite d'une boue tiède, douceâtre, qui retient les empreintes. C'est un instant doux, sur les berges de la Loire. Un de ces instants qui me remet à ma place. Claire ou rouge, l'eau suit sa route et, contrairement aux hommes, elle n'a que faire du jour et de la nuit. Me revient la voix d'Aliénor. «Vous êtes mes fils, disait-elle, et pourtant, vous serez toujours moins puissants qu'un fleuve.» Je me souviens que, pour contrer les terribles crues de la Loire, mon père avait fait bâtir de grands barrages dans tout le comté d'Anjou. Il ne supportait pas d'autre puissance sauvage que la sienne. Devant moi s'étendait une majesté qui n'avait rien à voir avec les rivières et leurs sauts guillerets, ou les cours d'eau maritimes, dociles et sans courant. Venue du Nord, grossie d'affluents, la Loire entaillait la terre et se déversait tout en largesse, crêtée de mousse jaune et de branchages. Ses grèves étaient dangereuses, prêtes à engloutir les marcheurs. Elle pouvait gonfler, déborder. On redoutait ses colères. Mais, à cet instant, face à moi, elle avançait avec plénitude.

Alors j'ai attendu que se lèvent les serments. Quelque part, au loin, un aigle à l'alliance rompue se réjouirait de sa troisième nichée. C'était l'heure. C'était ainsi, tendu par les bras d'un fleuve qui récitait les lois à voix basse. Il y en avait trois : la mort d'Henri ne générait aucune tristesse ; c'était mon tour de devenir roi d'Angleterre ; j'allais faire respecter ma mère.

Elle fut libérée en juin 1184.

Elle s'installa à Berkhampstead, dans un manoir au nord de Londres. Le 30 novembre, pour sa première apparition officielle, elle choisit une robe dont les livres parlent encore. Une robe d'écarlate, fourrée de petit-gris, brodée d'or et de perles, qui soulignait sa taille. Aliénor avait maigri durant sa captivité.

Nous étions tous réunis au palais de Westminster. Lorsque les soldats ont levé leurs lances, que son nom a résonné sous les voûtes de la salle, vrillant mon cœur d'une joie inquiète, que la cour s'est agenouillée dans un grand froissement, elle est entrée. Elle a avancé comme autrefois à Poitiers, sa robe glissant sur les dalles. La stupéfaction : elle avait été enfermée longtemps et pourtant elle marchait, flamboyante et superbe. Nul besoin de la voir pour comprendre cela. Les silhouettes étaient penchées vers le sol mais elles devinaient. C'était un prodige, une forteresse. C'était ma mère.

Moi, je n'ai pas plié les genoux. Je suis resté droit. Je voulais voir. D'abord un col ouvert, bordé de fourrure, la nacre des perles confondue avec la pâleur de la peau. Et puis le cou fin, le visage de chat, plus marqué mais maquillé avec soin. Il y avait quelque chose de changé. Bien sûr le front strié de nouvelles rides, les joues moins rondes, la silhouette presque fragile ; mais cette souplesse féline, ce pas ferme, et, surtout, ces yeux d'armure arrêtés sur moi, debout parmi les courbés. Un léger sourire a étiré sa bouche. J'avais prêté allégeance à mon père, trahi nos alliés aquitains, continué à vivre tandis qu'elle était prisonnière. Et ce sourire oubliait. J'y ai répondu en m'inclinant, avec tout le respect dont j'étais capable. Ainsi eurent lieu nos retrouvailles. En silence et en secret.

Autour de moi, les nuques s'étaient relevées. Mathilde fut la dernière à se redresser, avec son ventre rond. Mais je savais que sa grossesse n'y était pour rien. Ma sœur était simplement abasourdie. Chacun se soumettait au miracle. Aliénor nous écrasait tous, marchant vers l'estrade où l'attendait un Plantagenêt ébahi, lui aussi. Il la suivait des yeux et je suis sûr que, en cet instant, il pensa l'enfermer à nouveau. Pour l'heure, il découvrait son ennemie renaissante, escortée par le souvenir de la révolte, les morts de Rosemonde et d'Henri, la résistance de l'Aquitaine. Là était toute leur différence : mon père était lesté d'épreuves, Aliénor était impériale malgré les épreuves. Pourtant, depuis leur mariage, elle avait perdu bien plus que lui. La bataille, la liberté, deux fils, la gouvernance de ses terres… Et elle était là. Sans doute mon père l'admira-t-il aussi, l'espace d'un instant, malgré leur haine.

De toute façon, Aliénor l'ignora. Elle ne chercha pas les signes du temps sur le visage de son mari, les cheveux striés de blanc et de roux, le corps légèrement affaissé. Elle avançait lentement, les yeux rivés sur un point lointain, dans un silence spectral. Bientôt elle me dépassa et je pus observer qu'elle avait teint ses cheveux d'un beau châtain, tressés en chignon et piqués de rubis. Arrivée aux côtés du Plantagenêt, elle se retourna. Elle parcourut l'assemblée d'un regard calme, et il me sembla qu'elle s'attarda, de façon furtive, sur Mathilde et moi. Puis elle baissa légèrement le front, comme si c'était la chose la plus naturelle du monde, pour que mon père y pose la couronne d'Angleterre. Il s'exécuta sans un mot. Aliénor se redressa, le front ceint de son pouvoir retrouvé. Alors la salle, éperdue d'amour et de stupeur, s'agenouilla à nouveau, comme un seul corps. Là encore, je restai trop ému et trop fier pour bouger.

La mort de Louis la laissa indifférente. Je le compris très vite. Je me souvenais de cela : Aliénor pardonne à ceux qui la défient et l'affrontent, mais jamais à ceux qui la trahissent. La fuite de Louis face aux troupes de mon père avait scellé son sort. Aliénor avait beau avoir été son épouse pendant quinze ans, c'était fini. J'ai plaidé sa cause, raconté qu'on l'avait trouvé un matin paralysé dans son lit. Quelques jours auparavant, Philippe avait disparu au cours d'une chasse. Les médecins pensaient que Louis n'avait pas supporté l'angoisse de cette disparition, et une fois Philippe revenu à la cour, le corps royal s'était effondré. Louis était resté couché, raide. Il ne pouvait plus parler, ni se mouvoir, et il fallait lui éponger les lèvres pour éviter qu'il ne bave. Il était mort au cours d'une nuit de septembre, sans que personne s'en aperçoive. Aliénor m'écoutait distraitement. Mes paroles étaient vaines. Elle avait banni Louis depuis l'épisode de Verneuil, de façon irrémédiable. Or je savais que Louis était mort avec le cœur rempli à ras bord de ma mère. Il s'était remarié deux fois mais il n'avait

125

jamais cessé de l'aimer. Et lorsque Philippe vint au monde, Louis fut le seul à vivre secrètement cette naissance comme une injustice, parce qu'il n'envisageait pas, au fond, qu'une autre femme qu'Aliénor lui donnât un héritier. Alors, sachant la cause perdue, je me suis enhardi à l'interroger sur un point précis, que je n'avais jamais osé aborder avec elle.

« Mère. Vous avez fait huit enfants avec le Plantagenêt. Pourquoi n'avez-vous pas donné une telle descendance à Louis ? »

Elle a ôté un rubis de ses cheveux.

« Parce que j'ai oublié. »

Mon père joua son meilleur rôle, celui du grand hypocrite. Il nous réunit tous pour Noël, au château de Windsor. Seule manquait Mathilde. Elle venait d'accoucher d'un garçon. Elle l'avait appelé Guillaume.

Geoffroy m'avait attaqué, je l'avais humilié ; nous nous retrouvions dans la haine à l'égard de Jean, l'éternel favori, lequel rêvait de nous écraser une bonne fois pour toutes. Quelle belle entente fraternelle ! Mais le temps d'une grande soirée, il fallait jouer la mascarade. Faire semblant d'être une famille unie. Chacun obéit, sauf Aliénor. Elle trônait – quel autre mot pour définir sa prestance acquise en prison ? Elle était revenue moins silencieuse, en apparence moins solitaire. Elle souriait aux fous, acquiesçait lors des discussions et se laissait contempler. Elle semblait enfin parmi les autres et non au-dessus. Et pourtant. Nous sentions tous, et mon père en particulier, qu'elle nous échappait complètement. Nous savions que son aisance, justement, était signe qu'il fallait vraiment s'inquiéter. Me revenaient ses conseils : « Tue ou laisse vivant, mais ne blesse jamais, car un animal blessé devient dangereux. » Mon père avait fait l'erreur. Une puissance nouvelle, infiniment plus nocive, s'était nourrie en prison. Aliénor avait désormais le recul de ceux qui en ont trop vu pour se laisser atteindre. Elle portait ce que le désespoir peut parfois produire de plus redoutable, l'indifférence à la mort. Elle était devenue fleuve, forêt, campagne, forces passives et lentes, insensibles aux chagrins. Les trahisons, les coups bas, les cellules, les mensonges ne valaient rien contre ça. Et nous pûmes mesurer l'étendue de sa puissance lorsque vint à mourir Geoffroy, écrasé par sa monture. C'était durant un des tournois qu'il organisait. Il avait été désarçonné. Le cheval, furieux, l'avait réduit en bouillie. Mon frère était mort sous les sabots d'une bête, misérablement, et ce fut moi qui, agenouillé devant ma mère, lui annonçai la nouvelle. Je n'osai pas relever la tête. Que peut-on voir sur le visage d'une femme qui, en quelques années, a perdu trois enfants ? Le silence s'installait. J'étais toujours à genoux, le front baissé. Puis j'ai senti ses mains presser mes tempes et relever lentement ma tête. Ma mère me touchait et c'était bien la première fois. Son visage était d'une douceur terrifiante, nourricière, et je sentis les rubans d'ombre répondre à l'appel. Nous étions à l'unisson de la colère. Je compris alors que, comme elle, et sans le savoir, ses années de captivité m'avaient grandi, élevé à un niveau où je ne craignais plus personne. Et tandis qu'Aliénor prenait les dispositions, à voix haute, pour l'éviscération du corps, la conservation dans le sel et le manteau de cendal qui devait envelopper Geoffroy, je me suis demandé si ma mort l'ébranlerait.

Mon père tenta encore de nous abîmer. Il exigea que j'épouse Aélis rapidement. Je n'avais plus peur de lui. Comme Aliénor. Nous nous retrouvions dans la grande indifférence aux obstacles. Nous étions une seule et même armée, elle et moi. Et lorsque mon père le comprit enfin, et qu'il sentit la caresse froide de la peur, il fit enfermer à nouveau ma mère. Peut-être est-ce la peur justement qui le poussa à choisir le petit château confortable de Winchester, plus proche du manoir que de la prison, dominant une grasse campagne, ainsi que des conditions de détention plus souples. Il ne fallait pas trop énerver l'Aiglesse, qui pouvait sortir les serres… Cette fois, je savais que seule la mort de mon père permettrait de l'en délivrer. Pourtant je ne ressentis aucune inquiétude. Et Aliénor n'opposa aucune résistance. Nous étions invincibles. Ce n'était qu'une question de temps. Il nous fallait être patients, mener nos vies, en attendant que la partie soit gagnée. Le regard qu'Aliénor me lança avant de partir disait l'imprenable, les fossés larges, la forêt et sa meurtrière innocence, qui croît sans se soucier des hommes.

«Winchester? Pour combien de temps encore?
Quelle idée d'emprisonner sa femme…»

Nous étions au bord d'une forêt. L'étonnement
de Philippe avait l'air sincère. Il reflétait celui de
tout un pays. Personne ne comprenait que mon
père enfermât une seconde fois Aliénor. L'incar-
cérer après sa sublime apparition à Westminster!
Les gens en parlaient comme d'une divinité. Les
nobles y ajoutaient une pointe de dégoût, horrifiés
à l'idée que leurs épouses se piquent soudain d'indépendance. Mais chacun s'accordait sur l'injustice
faite à ma mère. Pour la première fois, les courtisans comme le peuple commençaient à douter du
Plantagenêt. Il inspirait toujours la crainte. Mais ses
crises de fureur, de plus en plus fréquentes, ajoutaient à son discrédit.

«Tu vois ce faucon? poursuivit Philippe. Je
l'ai pris au nid. Je l'ai nourri de lard et de miel. Je
lui ai réchauffé la poitrine devant le feu. Puis je
lui ai rogné les griffes et cousu les paupières. Car

pour être bien dressé, l'oiseau doit être aveugle. Il apprend à chasser puis à revenir sur le poing en reconnaissant mon sifflement. Lorsqu'il sait faire tout cela, on lui rouvre les yeux. »

Je connaissais par cœur le dressage des faucons. Et d'ailleurs, je n'en avais que faire, Philippe savait très bien que je préférais la chasse au sanglier. Il leva son poing ganté de cuir et, en un souffle, l'oiseau ouvrit les ailes et disparut.

« Ni toi ni moi ne sommes aveugles, Richard. »

Au loin, sous les branches, je savais qu'un oiseau s'abattait sur sa proie. Philippe fit quelques pas. De dos, il m'a semblé soudain voir la silhouette de Louis. Et comme chaque fois où je pensais à lui, me venait une rage folle, assortie de suppliques sans réponse. J'aurais tant voulu le voir avant sa mort et lui demander pourquoi la retraite à Verneuil, qu'est-ce qui lui était passé par la tête, était-ce la peur de décevoir ma mère, celle d'affronter mon père, ou bien la certitude encombrante qu'il n'était pas fait pour le combat ? Mais je l'aurais aussi remercié. Je me souvenais de sa confiance donnée, du regard d'Henri lorsqu'il lui offrit le sceau royal coulé d'or. J'aurais voulu lui dire que je relisais souvent ses lettres adressées à ma mère, que j'enviais sa capacité à rester élégant, sans reproche.

« Mon père t'aimait beaucoup. Il parlait souvent de toi. Il disait que tu étais le fils qui ressemblait le plus à Aliénor… Ah, ta mère. Pour elle, il a mis des lis partout, y compris sur ma bannière. Toute sa vie, il a tenté d'attraper son regard. Il ne l'a jamais obtenu, même lorsqu'ils étaient mariés. Aliénor ne l'aimait pas, n'est-ce pas ? Je ne lui jette pas la pierre, tu sais. Mon père n'était pas un homme très volontaire... Et, visiblement, pour côtoyer Aliénor, il faut avoir le caractère solide. Un peu comme toi, donc. Personne ne t'approche. Même pas ta sœur Mathilde. Ni Mercadier. On te craint, bien sûr, mais il y a autre chose. Tu te méfies tant, tu es tellement sur le qui-vive, que l'on renonce aux efforts qu'il faudra déployer pour t'apprivoiser un peu. Je comprends mieux ton goût pour les filles faciles. Elles n'ont que faire de ces efforts, sauf celui de défaire leurs robes. Mais, Richard, il faudra bien, un jour, te laisser toucher. Mon presque frère, d'où venons-nous, toi et moi ? Sur quel terreau avons-nous poussé ? Finalement, nous nous en sortons bien. Nous avons réussi à ne pas décevoir nos parents sans renoncer à nous-mêmes. Non ? Tu me regardes bizarrement... Bien sûr, je suis plus jeune que toi et je n'ai pas encore ta maîtrise de l'épée. Mais nous avons des passions communes. Sais-tu que, moi aussi, je dessine de nouvelles forteresses ? J'ai même lancé la construction d'une tour, à Bourges, et une autre à Paris, au Louvre. Tu serais impressionné : elles sont rondes, et non plus carrées. Une épaisseur de murs que tu n'as jamais vue. Trois étages. Des archères percées sur plusieurs niveaux, afin de tirer dans toutes les directions. Ah, mais je suis bête. Les plans de ton Château-Gaillard, dont tu parles tant, doivent déjà en compter, non ? Mais je m'égare. Écoute. Tu me connais depuis que je suis enfant. Tu es même promis à ma sœur Aélis. C'est pourquoi, au nom du passé qui nous unit, je te dois une certaine franchise. Alors voilà : ton père m'a proposé de marier Aélis à Jean. Et dans cette optique, il a ajouté qu'il lui donnerait le reste de tes droits. En d'autres termes, ton frère cadet épouserait ta fiancée et deviendrait roi à ta place. Je vois à ta tête que tu n'apprécies pas. Et tu as raison, même si, un jour ou l'autre, il faudra bien que tu m'expliques pourquoi tu tardes tant à épouser ma sœur.

« Maintenant, voici ce que je te propose. Tu veux la couronne d'Angleterre ? Je comprends. Et j'approuve. Car elle te revient, je l'ai toujours su. Tu en as les épaules et le prestige. Mais tu ne l'obtiendras que par la force. Tant que ton père vivra, il la gardera. Alors, viens à la cour de France. Je t'offre mon appui et mes troupes. Nous récupérerons d'abord tes terres, ensuite la couronne. Nous ferons plier le Plantagenêt. Il est de moins en moins soutenu. C'est le moment. Évidemment, il y a une contrepartie. La voici. En attendant de devenir roi, tu me rends hommage. À moi, donc, et pas à ton père. Tu choisis la France contre l'Angleterre. Qu'en dis-tu ? Eh bien ? Tu hésites. Le pas est grand, c'est vrai. Mais tu as sans doute compris qu'il ne te reste plus beaucoup d'issues. L'alliance avec un autre camp est ton seul salut. Tiens, voilà mon faucon. Il a le bec rouge. Réfléchis, Richard. »

Salut à toi, mon cher fils,

Je réponds aussitôt à ton message, et remercie Mercadier de me l'avoir fait parvenir. Je constate que Philippe est d'une autre envergure que son père. Louis était trop innocent pour être roi.

La proposition de Philippe est alléchante mais risquée. S'agenouiller devant la France… L'Angleterre le prendra mal. Mais puisque le Plantagenêt veut te réduire en poussière; puisque, à toi, Henri ou Geoffroy, il a toujours préféré Jean; puisqu'il enferme ses adversaires plutôt que de les affronter, alors je te conseille d'accepter cette proposition. Va à la cour de France, partage la table de Philippe. Accepte son aide pour récupérer nos terres puis anéantis le Plantagenêt. Et pour que la colère de Philippe devienne une arme, dis-lui pourquoi tu n'épouses pas Aélis. Révèle-lui que sa sœur adorée a été violée par le Plantagenêt. Invente la scène de viol, des détails, fais naître de répugnantes images. Et de rageur, Philippe deviendra sanguinaire. Sa clairvoyance t'a suffisamment apporté. Il s'agit maintenant de féconder sa haine.

Je te connais assez pour savoir que tu hésites. Utiliser Philippe, trahir l'Angleterre? Parfois je me dis que derrière tes victoires sommeille un enfant qui ne rêve que de paix. J'ai pourtant essayé de vous protéger, de vous entourer d'honneur et de mots. Mais les poèmes ne sont pas des murs. La paix est un leurre, Richard, il y a toujours deux ennemis en sommeil. Il est trop tard pour se poser des questions. La mort d'Henri fait de toi l'héritier du trône, et certaines chances doivent être saisies de force. Sur notre royaume, ton père a voulu imposer son ombre. Il n'a jamais voulu transmettre le pouvoir. Et tout cela alors que j'étais sûre de sa loyauté, alors que, sur le parvis de la cathédrale, un jour de mai 1152, en robe de mariée, je le présentai à mon peuple de Poitiers. Ce jour-là, je lui ai donné mes villes, mon ventre et mon avenir. Réfléchis un peu, Richard : que signifie le mot « paix » après pareille trahison ? Alors oui, j'appelle à la vengeance contre ceux qui n'ont pas su se fondre dans les terres offertes ; contre ceux qui défigurent une mémoire commune et qui transforment leurs caprices en lois ; j'appelle à la guerre contre les enfants gâtés, les tyrans assez bêtes pour contempler le ciel comme on regarde un miroir.

Philippe rencontrera le Plantagenêt à Bonsmoulins, en Normandie. Ce dernier s'y rendra avec Jean, comme d'habitude. Lorsqu'il mettra pied à terre, il aura la désagréable surprise de te découvrir aux côtés du roi de France. Il y aura une tension très vive, que tu sentiras comme tu as toujours senti les dangers. Les bonnes âmes s'émeuvent de ce qu'un guerrier s'éloigne des humains pour s'approcher de l'animal, en réalité il en emprunte la part la plus noble, l'instinct. Cette tension muette, invisible aux profanes, qui convoque des réflexes splendides : bien sûr que la proximité du règne animal élève l'homme au lieu de l'abaisser. Cette logique échappe aux donneurs de leçons.

Tu seras donc bête aux abois, tapie derrière Phi-lippe, lorsque celui-ci demandera solennellement à ton père de te rendre le Poitou, la Touraine, le Maine et l'Anjou. Pure forme. Car je peux te pré-dire ce que le Plantagenêt répondra : « Ce n'est pas aujourd'hui que Richard aura ce cadeau. » Ne le prends pas mal. Sa réaction sera logique. Le Plan-tagenêt voudrait régner sans partage, mais tu es là. Il voudrait être le meilleur combattant, tu es là aussi. Et peut-être voudrait-il également être le seul que je regarde, mais te voilà encore là. Toutes ses ambitions se heurtent à toi. Il ne lâchera jamais une once de terrain. Alors, calmement, tu lui tourneras le dos et tu joindras tes mains. Tu fléchiras devant Philippe. Tu lui rendras hommage à voix haute. Tu choisiras la France.

À l'instant où je prononce le serment d'allégeance à la France, mon père recule. Il semble foudroyé. Il est blême. Sa bouche s'ouvre et se ferme sans émettre un son. Il recule encore, les barons s'écartent. Jean contemple la scène avec une lassitude froide, un peu étrange.

Philippe semble satisfait. Il ne quitte pas le Plantagenêt des yeux. Il réussit là où son père avait échoué. Terrasser le roi d'Angleterre. Ce dernier bégaie d'indignation à présent, et pourtant, nulle trace de la fureur dont il est coutumier. La colère est une vigueur, et, ce jour-là, le Plantagenêt n'en a plus.

Il regagne sa Normandie. Philippe n'a pas besoin de me parler. J'ai compris. Notre accord prend forme ici, dans le galop des chevaux lancés à pleine vitesse, les lames sorties des fourreaux. Nous nous lançons à la poursuite de mon père. Nous sommes devenus des chasseurs. Grisé par la fureur, empli d'images honteuses du Plantagenêt et d'Aélis,

Philippe brûle tout. Pas de quartier pour le pays. Nous laissons derrière nous une fumée grise et des cadavres. Aucun village n'échappe à notre hargne. Les châteaux se rendent vite. Il suffit que Mercadier s'approche des seigneurs pour que ceux-ci parlent. Ils avouent avoir hébergé mon père, senti qu'il était fiévreux, entendu qu'il irait se réfugier au Mans. Nous y arrivons dans la nuit. Mais le Plantagenêt a eu le temps de déguerpir, avec sept cents chevaliers. Il a pris la route vers le sud, sans doute pour Angers. Nous tournons bride et nous nous lançons sur ses traces. Maintenant, ce sera facile.

Philippe le convoque à Colombiers, entre Azayle-Rideau et Tours. Le Plantagenêt doit capituler. Il le sait. Malade, abandonné par sa famille et ses fidèles, il n'a plus le choix.

C'est une journée torride. La prairie somnole, le dos brillant de soleil, à peine froissée par les hommes disposés en cercle. Les arbres paraissent collés contre le ciel bleu. Je n'entends même plus les hirondelles. Pas un son, pas un brin de vent. Mais l'instant est trop précieux pour se plaindre. C'est un Plantagenêt épuisé que je vois avancer dans la prairie, dodelinant sur son cheval comme un corps de chiffon, plus pâle encore qu'à Bonsmoulins. Il y a des années, c'était moi qui pliais devant lui. Je me revois, après l'échec de la révolte, le front baissé, tandis que ma mère croupissait dans une prison. La roue a tourné.

Je détaille son grand front bombé, ses joues couvertes de cicatrices. Son visage est trempé. Jean, aidé des derniers barons, l'aide à descendre. Quel âge a-t-il ? La chaleur risque d'achever le vieux roi, qui réclame à boire. On lui tend une coupe. Puis il s'essuie la bouche, se tourne vers moi. Son casque est sale et ses cheveux tombent sur ses épaules. Avant, ils étaient roux. D'une voix qu'il voudrait forte, il explique qu'une douleur lui a d'abord mordu les talons, puis les pieds, et qu'à présent elle dévore ses jambes. C'est le moment de se rendre, dit-il en clignant lentement ses paupières lourdes. Il me regarde. Comme je les connais, ces yeux d'un vert des marais, si épais qu'on croirait de la vase ! Comme je connais la tache noire qui en zèbre le centre et qui évoque l'œil du serpent ! De se rendre, donc, et son regard crie vengeance. Qu'importe. Le rituel de la trêve peut commencer.

Le premier geste de paix est de donner la liste de ses partisans respectifs. Chacun devine que mon père n'en a presque plus, mais ce sont les règles. Révéler ses soutiens, c'est s'engager à la trans-parence. Dans un silence solennel, les deux rois procèdent à l'échange des listes. Philippe ne me regarde pas. Il est d'un calme absolu. Il tend son parchemin, cacheté du sceau royal. Soudain, je vois ce rouleau comme une épée. Mais je ne dois pas bouger. Mon père l'attrape et l'ouvre avec une préci-pitation presque indécente. Pourquoi ? Comme moi, flaire-t-il l'impensable ? Le parchemin tombe dans l'herbe. En haut, figure le nom de Jean.

Mon père plie les genoux. Il suffoque en tenant cette liste. Alors que ses chevaliers l'entourent et tentent de le relever, il crache du sang et des phrases incompréhensibles, mais les troubadours en retiendront certaines : « Mon fils chéri me terrasse. La mort vient de mon fils adoré. Honte, honte sur le roi vaincu. » Et c'est bien ainsi que la nouvelle se propage, bien au-delà de l'Aquitaine, à travers l'Angleterre, le petit royaume de France, la Flandre, les empires du Nord et de l'Est. Le dernier fils Plantagenêt, le préféré, a trahi. Jean a porté le coup de grâce. Chacun se demande à quel moment il a vu Philippe, quand ils ont scellé leur entente, et surtout, pourquoi. Aliénor et moi connaissons la réponse. Je suis l'héritier du trône d'Angleterre et duc d'Aquitaine. Or Jean veut être roi d'Angleterre. Et Philippe veut l'Aquitaine, afin d'agrandir le royaume de France. Ils se sont alliés pour pouvoir me renverser et se partager mes domaines. Pour Jean, qu'importe que cette alliance tue son père.

Le Plantagenêt est allongé dans sa chambre du château de Chinon. Autour de lui, trois chevaliers lui sont encore fidèles. Ils le font boire mais le Plantagenêt jette la coupe à travers la pièce. Il cogne sa large poitrine puis, à bout de forces, laisse tomber son bras. Les nuits passent. Il se tord, halète, brandit le parchemin. Il appelle Jean, lui demande pourquoi il l'a trahi, crie mon nom, des insultes, et s'effondre. Se redresse, furieux, et vitupère Philippe, puis Aliénor, Jean et moi. Défilent la rencontre avec ma mère, sous les yeux de Louis, alors son mari ; les terres reçues et les autres conquises, les longues chevauchées dans les vallées angevines, les assauts, les festins ; la naissance de ses enfants ; Rosemonde ; et puis la révolte de sa famille, la première victoire, la guerre et le revirement de Jean. Sa mémoire dégorge. Malgré les remèdes et les prières, la fièvre ne retombe pas. Mon père rend sa dernière injure comme d'autres leur souffle. Il entre dans l'au-delà le corps rempli de rage, la main crispée sur un rouleau.

Alors il se passe une chose révoltante. Tandis que les chevaliers organisent le voyage du corps pour les funérailles, les serviteurs pillent la chambre. Le Plantagenêt, roi d'Angleterre et d'Irlande, duc de Normandie et d'Aquitaine, comte d'Anjou, le plus puissant monarque d'Occident, est assez haï pour être dépouillé. Les joyaux, l'argenterie, les draps disparaissent. On retire même ses vêtements au cadavre, exposé dans la cour du château. Le temps que les chevaliers reviennent, on a dégrafé sa cape, retiré sa tunique, ses chaussures. Mon père repose à l'air libre, presque nu.

Les funérailles ont lieu à l'abbaye de Fontevraud. Les troubadours écriront sur mon visage impassible. On dira que je ne souffre pas. Et c'est bien la vérité. Mon père est mort, je prends sa place et je suis libéré du serment envers Philippe. Pourtant je ne ressens rien. Mais, contrairement à Aliénor, je ne sais pas si ce vide relève de l'indifférence ou des grands silences qui précèdent les fractures.

Puis je me jette sur l'Angleterre. Même Mercadier a du mal à me suivre. Cette fois, c'est moi qui libérerai ma mère. Je dois absolument lui rapporter la trahison de Jean. Et, d'une certaine façon, celle de Philippe, qui ne m'a rien dit. J'ai besoin de savoir ce qu'Aliénor en pense. J'avance avec la vitesse des hommes égarés. J'entends les premiers « vive le roi » sur mon passage et je me souviens de la prophétie. La troisième nichée de l'Aiglesse a vaincu. Je vois les têtes se pencher, les torches tenues le long des routes lorsque la nuit tombe, les voiles gonflées d'un vent bienheureux. Voici les prés anglais nappés de brume, percée d'un beau soleil matinal. Je ne pense qu'au porche de Winchester, à la grille levée, aux soldats qui s'écartent devant mon cheval. J'entends des chants à plusieurs voix venir d'une chapelle attenante au petit donjon. D'un coup d'épaule, j'ouvre la lourde porte de bois qui rebondit contre le mur. Le fracas interrompt les troubadours qui se tiennent debout face à ma mère. Elle tourne lentement la tête, fait signe aux gardes qui surgissent derrière moi de rester tranquilles. Elle reste assise.

« J'étais en train d'entendre un chant à plusieurs. Les voix se mêlent, c'est extraordinaire. Tu devrais écouter. Les troubadours que tu vois là lisent d'étranges partitions, annotées pour que chacune des voix trouve son repère. La trouvaille nous vient d'Italie. »

Je baisse les yeux, reprends mon souffle. Rassemble mon calme. Puis je la regarde et je comprends. Elle est au courant. Évidemment. J'ignore de quelle façon, mais elle sait déjà la trahison de Jean et la mort de son mari. Je m'apaise. Et demande, parce que c'est cela qu'elle attend, la vérité cachée derrière les apparences, le crucial sous l'anodin.

« De quoi parle la chanson de ces messieurs ?

— D'un berger défiant un dragon, et qui perd. »

Elle se lève dans un froissement de tissu. Les mots que j'aurais tant voulu prononcer avec panache restent coincés dans ma gorge. Ils finissent par sortir, enroués, trop timides, hachés par l'émotion, mais enfin, je parviens à les dire.

« Nous avons gagné. »

Et je pense : « Nous avons gagné, mais à quel prix. Un père tué par ses fils. Le coup de grâce assené par le favori. Et vous, mère, enfermée tant d'années. Existe-t-il des victoires ourlées de regrets ? Ou bien faut-il se montrer toujours digne d'une certitude ? Et si je n'étais pas digne ? »

Mais bien sûr, je ne dis rien de tout cela et je m'agenouille devant Aliénor, en espérant qu'elle comprenne les soulagements accablés. Elle me relève, regarde par la porte ouverte. Puis elle se tourne vers les artistes et les soldats, tous pétrifiés par cette scène.

« On s'incline devant le roi d'Angleterre. »

S'ouvre pour Aliénor une période heureuse, la
première depuis longtemps. Je la vois renaître. Chacune de ses apparitions est aussi somptueuse que
celle de Westminster, lorsqu'elle était sortie de prison la première fois.

Par un édit général, je lui délègue mon pouvoir.
J'ordonne au royaume d'obéir à ses décisions. Sa
première est de libérer les prisonniers d'Angleterre. Elle insiste : tous, sans exception. Car mon
père, dans sa folie, avait rempli les geôles. Il suffisait d'être braconnier pour subir la mutilation. Les
grilles s'ouvrent, les familles pleurent de reconnaissance. Çà et là, quelques reproches outrés se font
entendre, accusant ma mère de faiblesse. Elle n'en a
cure. Elle a trop souffert de l'enfermement pour le
tolérer encore.

Puis elle rappelle ses troubadours, monte une
cour royale itinérante pour aller expliquer aux
châteaux, villes et villages que je suis le roi. C'est
faux. En vérité, c'est elle, la reine, et depuis toujours. Et peut-être que ce long chemin de trahison
et de guerre ne menait qu'à cela, à cette décision de
lui donner mon pouvoir. Peut-être que je n'ai vécu
qu'en sachant mon rôle, lui offrir cette régence. De
là viendrait le sentiment de ne plus servir à rien.
D'avoir rempli ma mission – ou bien d'en avoir été
le jouet, je l'ignore. C'est un automne victorieux.
Derrière ma mère, les peupliers s'élèvent en torches

jaunes. D'étincelants bouquets rouges jaillissent des talus. Les arbres scintillent de mille nuances de feu, mais cette fête des couleurs me remplit de chagrin – toujours, l'écrasante tranquillité d'une nature qui reste insensible à nos morts. Je regarde les parades sans vraiment y être. Autour d'Aliénor, on s'agglutine, on baise l'ourlet de sa robe. Sans doute revit-elle ces moments de gloire connus à Poitiers. Je l'observe. Je suis heureux pour elle mais mon cœur est vide, cavité creuse qui bat sans élan, habité par rien ni personne. Pourtant nous sommes libres et nous avons gagné. Alors ? Elle me sourit. Ses yeux se plissent et la couleur d'orage devient une ligne d'horizon si fine qu'on ne la voit presque plus. Son visage est un autre, anguleux mais détendu. Aliénor savoure sa liberté et l'amour que les gens lui portent. Ils caressent la housse brodée d'or de son cheval, murmurent ses chansons.

Dame, rose sans épine,
Rameau desséché portant fruit,
Terre qui sans labour donne grain,
Étoile mère du soleil,
Nulle femme au monde
Ne peut se comparer à vous…

Elle adresse un remerciement discret à ses poètes qui, en retrait, accompagnent la liesse de violons et de flûtes. Mercadier veille et repousse les foules amoureuses. Même le plus reculé des hameaux est en fête. Le peuple respire. Il répète le vers d'un poème qui, à lui seul, résume les sentiments après la mort du Plantagenêt :

Je vais chanter merveille,
Le soleil s'est couché et nulle nuit n'a suivi.

Le Plantagenêt avait ordonné aux monastères d'ouvrir leurs écuries pour nourrir ses chevaux de guerre. Aliénor supprime cette obligation. Elle fonde des hôpitaux consacrés aux pauvres, puis un monastère à Gourfaille, près de Fontevraud, offre aux Hospitaliers un petit port non loin de La Rochelle... En la voyant faire, je me souviens de mon père qui avait fait construire une léproserie près de Caen, creusé des réserves de pêche, bâti des ponts et des digues, et la suite m'apparaît évidente. Tant de ressemblances ne pouvaient mener qu'à l'affrontement. L'histoire appartient à ces deux géants et moi, je ne suis qu'un caillou. Si bien que, lors de mon sacre de roi d'Angleterre, à l'abbaye de Westminster, les paumes brillantes d'huile sainte, les épaules lourdes du manteau royal, je dois m'obliger à prendre le sceptre d'or. Je me dis que ce trône est pour ma mère, ou bien qu'il aurait été pour Guillaume, s'il avait vécu. En bref, on me couronne et j'ai le sentiment de n'avoir rien mérité. Ma mère porte un manteau de soie rouge, l'assemblée peut ainsi la voir de loin et calquer ses mouvements sur les siens. Tandis qu'elle se lève pour entamer les cantiques, j'y vois une fleur de sang qui se déploie, grandit comme une entaille.

J'ai tant besoin de ses mots, de ses consignes et de son flair. Mais pour la première fois, je déteste ce besoin, en même temps que la perspective de son assouvissement me réjouit. Oh, le calme d'un verger le matin – car ma mère aime toujours ce moment, elle poussait mes sœurs à sortir dans l'aube. Le verger est un monde clos, protégé d'enceintes, au pied du donjon. Il ressemble à notre lien. À cette heure, le pépiement des oiseaux commence à peine à naître. Nous marchons dans les allées vertes et odorantes. Je regarde les massifs, les premières petites pommes dans les branches, respire les herbes médicinales plantées en espalier. Libérés des tensions, nos instants sont ces matins où, assis au bord de la fontaine, parmi les arbres tremblant d'un éclat mauve, Aliénor me livre sa stratégie. A-t-elle jamais eu autre chose en elle que des stratégies ? Peut-être que si, justement, qu'elle porte en elle quantité de regrets et de songes. La certitude que je n'y aurai jamais accès, et que, malgré notre victoire, je resterai toujours un enfant derrière la porte, c'est peut-être cela, aussi, qui me rend si seul.

« Ce que Philippe a comploté avec Jean, c'est un premier avertissement. Un jour ou l'autre, ils s'allieront pour nous prendre l'Aquitaine. En attendant, montre-toi docile. Endors Philippe, promets que tu épouseras Aélis. Fais de même avec ton frère.

Donne-lui le titre de comte. Sois aimable. Associe-le à ta gloire.»

Je lui obéis – que sais-je faire d'autre? Mais quelque chose, en moi, ne suit plus. Quelque chose résiste et se cabre, comme l'élan qui traverse mon épée. Je rencontre Jean, il fuit mon regard, je lui souris avec bienveillance. Je retrouve Philippe, il me fixe droit dans les yeux. Je n'évoque pas son rapprochement avec Jean. Je lui promets que j'épouserai Aélis, malgré le viol.

Je répète souvent le serment de Poitiers: «Relève ce qui est détruit, conserve ce qui est debout.» Mais, chaque jour, j'éprouve l'envie de partir. Je rêve de voyages, d'épopées, de cet Orient hérissé de forteresses. La situation est critique. On dit que, après Jérusalem, les musulmans menacent nos villes de Syrie, du Liban et de Palestine. Leur science militaire vaudrait deux fois la nôtre. On évoque un chef de guerre nommé Saladin, neveu d'un général kurde, qui installe sa dynastie et qui parle de «jihad» – personne ici ne comprend ce mot, il s'agit visiblement d'une guerre au nom de Dieu. Saladin est le maître d'œuvre d'un des plus beaux exploits que je connaisse. Il a repris Jérusalem lors d'une bataille dont les échos me tiennent éveillé: la bataille de Hattin, près du lac de Tibériade. Durant cette offensive, Saladin a empêché nos vingt mille soldats d'accéder à l'eau. Un immense plateau rocailleux, la fournaise, le lac tout près, mais hors d'atteinte... Assoiffés, nos soldats furent pris au piège. Saladin passa à l'attaque. Un jeu d'enfant. Deux cents chevaliers du Temple décapités sur place. Dieu sait combien j'estime les Templiers, mais il me faut bien savoir aussi saluer les compétences des ennemis. Lesquelles ne sont pas près de s'éteindre : il paraît que Saladin a un frère, al-Adil, aussi rusé que lui. La force des fratries, que je n'ai pas connue ! Si Henri et moi nous avions associé nos talents… Nous serions partis ensemble, duo redoutable qui aurait rivalisé avec ces frères orientaux. Alors, lorsque j'apprends la disparition de Mathilde, dans son pays lointain, je ne pose aucune question. Je ne demande pas les causes de sa mort, si elle a souffert, ce que deviendront ses enfants. Il n'y a plus de contexte, de conséquences, ni souvenir ni projet. Juste un fait : ma sœur préférée, si peu connue, est morte et la dislocation m'apparaît définitive. C'est aussi simple. Je pars pour l'Orient, la tête pleine de fantômes. Ils m'escortent. Mathilde marche devant notre père, puis viennent Henri, Geoffroy, Guillaume. Et l'amour de ma mère, fantôme roi, chimère trônant parmi les linceuls, dont pourtant je ne doute pas lorsqu'elle frappe la cuisse de mon cheval pour signer le départ.

Quelques mois auparavant, à l'annonce de mon voyage, ma mère n'avait pas paru étonnée. Comme d'habitude. Le dernier qui l'a surprise, c'était mon père, il en est mort. Nous nous sommes partagé les rôles. Elle s'est occupée de financer le voyage. Elle a

lancé un impôt, la dîme «saladine», vendu une partie des domaines royaux, épuré les comptes, récu-
péré cent mille marcs d'argent que mon père avait
laissés dans les caisses. De mon côté, j'ai mobilisé
les seigneurs qui m'accompagneront. Il a fallu les
convoquer, les équiper, recevoir leur serment. J'ai
remanié les shérifs, les justiciers et les trésoriers. J'ai
choisi des hommes de confiance pour les remplacer,
ce sont eux qui travailleront avec Aliénor durant
mon absence. Enfin, j'ai chargé Mercadier de vérifier les préparatifs dans tout le pays. Les ports ont
construit des bateaux bardés de fer, les bourreliers
fabriqué des selles épaisses, les armuriers conçu les
plus solides épées. Les villes ont résonné des coups
des forgerons. L'Angleterre tout entière s'est préparée pour la croisade.

J'ai eu le temps de gagner les Pyrénées pour
punir des brigands qui dévalisaient les pèlerins de
Compostelle, et, dans la foulée, j'ai pu rencontrer le
roi de Navarre. Il a une fille ravissante, Bérangère,
dont la vue a ranimé, enfin, un désir de morsure,
un appétit que je croyais endormi. Bérangère me
dévorait des yeux. Je savais aussi qu'elle cherchait
un mari. Mais l'heure n'était pas à la fête. On verrait
plus tard. Il était temps de partir.

La complainte du père attaqué

De là où je suis, je te regarde. Te voilà prêt à partir en Orient. Tu verras, la Méditerranée est bien différente de la Manche. Comme quoi, une mer peut être douce. J'aperçois ta couronne. Tu es roi d'Angleterre désormais. Belle revanche sur le sort... Rien de surprenant, si j'en crois la fameuse prophétie de Merlin : « L'aigle à deux têtes se réjouira de sa troisième nichée. » Car j'ai épousé un aigle, en effet, et mon erreur fut de ne pas le comprendre. Un aigle aux cheveux d'acajou, au regard gris, aussi vorace que moi. Nous étions deux au sommet de l'excellence. Deux à nous flairer, nous reconnaître. Chacun a sous-estimé l'autre. Si semblables, en réalité, trop proches pour ne pas nous entre-tuer.

J'ai provoqué ta mère sans le savoir. Pour moi, il était naturel de m'imposer en Aquitaine. On aime une terre parce qu'on lui est étranger. Et je l'étais. Le nouveau venu ressent de la gratitude envers le pays qui l'accueille, il cherchera à le comprendre. Il l'auscultera dans les moindres recoins. Personne ne connaît si bien un lieu qu'un intrus. Le natif, lui, ne mesure pas sa chance. Il se comporte en propriétaire. Il se plaint. Tout lui paraît être un droit, et non une chance. Quand j'ai mis un pied en Aquitaine, sincèrement, j'ai éprouvé cette reconnaissance exaltée. J'avais hâte d'apprivoiser ses villes et ses châteaux. Mais tous m'ont rejeté. J'ai vite appris qu'un Aquitain ne supporte pas la mainmise. Ils ont l'indépendance dans le sang. Pourtant, j'avais de grands rêves pour ce royaume. Je l'honorais de mes ambitions. Je le voulais plus fort, avec des règles nouvelles. J'ai œuvré pour son renforcement, ce que d'autres, plus stupides, appelèrent une menace. Était-ce une menace, de vouloir l'Aquitaine fondue dans un ensemble unifié, donc invincible ? Je voulais construire un réel empire, or on ne construit rien sur le morcellement. Il fallait que toutes les contrées s'alignent les unes sur les autres, que l'Angleterre, la Normandie, le Limousin, la Gascogne, le Poitou, toute l'Aquitaine, aient les mêmes lois ainsi qu'une monnaie commune. Personne n'a compris mon projet. Les Aquitains ont aussitôt tenté de l'anéantir. À partir de là, je n'ai eu aucun scrupule à m'étendre. On ne voulait pas de moi ? Je m'imposerai quand même. Inutile de préciser que ta mère s'est sentie personnellement attaquée. De toute façon, je devais me montrer ferme. Il fallait effrayer ce Louis VII qui, en sous-main, aiguisait les haines contre moi. J'étais prêt à bâtir un empire, ce n'était pas un roi pâle qui allait m'arrêter. Oui, j'ai aimé conquérir l'Aquitaine, et puis prendre l'Irlande, l'Écosse, et viser l'Italie... Qu'importe la terre, pourvu que j'aie la puissance. On ne pouvait pas me changer. La puissance, c'est d'abord fabriquer une route. Faire avancer le monde comme on l'a décidé. Je veux un domaine ? Je l'aurai. Pas pour la possession en elle-même. Mais pour le dessin d'un rêve enfin obtenu. Derrière l'homme de pouvoir, il y a souvent l'enfant qui traçait dans la poussière les limites d'un royaume. Il y a aussi l'intuition d'une défaite irrémédiable. Car si la logique de pouvoir est éternelle, l'homme, lui, ne l'est pas. Il sait qu'il est perdant. Il disparaîtra, tandis que sa volonté de conquête sera reprise par d'autres. Alors il veut marquer son temps d'une empreinte indélébile, non pas par arrogance, comme on pourrait le croire, mais pour tenter, dans un sursaut absurde et magnifique, de contrer ce déséquilibre entre cette immuable notion de pouvoir et l'éphémère de son incarnation.

On m'a reproché d'agir seul. C'est vrai. Que veux-tu, je ne fais pas confiance aux gens. Je peux bien te l'avouer maintenant : pour moi, les masses sont frileuses et bêtes. Paysans, bourgeois, ministres ou soldats, je m'en suis servi pour ce qu'ils savent faire de mieux : suivre. Tu vas me trouver prétentieux, et je le suis certainement. Mais je considère que décider à la place des autres est un service que je leur rends. Non seulement mon action est plus efficace, mais, en plus, elle relève du bienfait. Car l'exercice de gouverner porte en lui un long frisson magique, une sorte de pul-

sion de vie intense et brève. On accède au trône non pas pour défier la mort mais pour célébrer la vie. Le pouvoir est une matière douce et friable, pleine de subtils chatoiements. Il faut surplomber sans écraser ; ordonner sans humilier ; façonner une loi, une monnaie, un commerce au plus près de ce que l'on croit être juste. Éveiller et prendre en charge l'espoir d'un peuple entier. Ne pas avoir peur, tout en sachant absorber les craintes des autres. Ta mère et moi adorions ces nuances. À ce stade, nous sommes, Richard, dans les très hautes sphères des gens de valeur. Ainsi vont les ambitieux – et je pardonnerai toujours à cette noble qualité. Si l'ambition, c'est se hisser à la hauteur de ses rêves, alors je pourrai encore répéter à mes fils :
« Soyez ambitieux. Quitte à me renverser. »

L'initiative de votre révolte avait du panache, je le reconnais. Évidemment, elle venait d'Aliénor – tout ce qui a grande allure est lié à elle. Rallier ses fils, les seigneurs d'Europe et son premier mari contre moi... Je m'incline. Ta mère, pour la première fois de sa vie, a échoué. Mais elle n'a pas perdu. Car aujourd'hui, c'est bien moi qui ne suis plus là alors qu'elle est vivante. Et ce sont nos enfants, et plus précisément Jean, le dernier, mon préféré, qui a porté le coup de grâce. Là, je suis vaincu. Je ne pouvais pas survivre à pareille surprise. Même de là où je suis, après tout ce temps, je ne parviens toujours pas à comprendre. Je savais Jean instable et vaniteux. Mais fourbe... Mais traître au point de me tuer, ça, non, je ne savais pas.

Je te vois donc, déterminé, bouillant. Épris de pou-

voir. Tu portes en toi les remous de mon sang. J'entends le froissement des rubans d'ombre que je connais si bien, je sens la colère t'envahir. Tu es celui qui me ressemble le plus. Henri n'était pas doué pour la colère. Peut-être aurais-je dû lui confier le trône, c'est vrai, peut-être aurais-je dû partager. Mais je ne lui faisais pas confiance. Il aurait dilapidé la fortune, perdu les territoires. Il aurait suivi.

Mais toi… Tu es différent. Toi, tu aimes la chasse au sanglier. Tu es le seul, dans l'aristocratie, à apprécier cette bête. Parce que le sanglier est un animal solitaire. Il est aussi rageur et brave. Sa tête n'est jamais levée vers le ciel, mais toujours au ras de la terre. Il est comme toi.

Pourtant, je suis mort sans l'amour de mes enfants. Nu, seul, perdu. Affaibli par la révolte ourdie par ma femme, menée par mes fils, et terrassé par Jean que j'ai choyé. Fallait-il que je sois piètre mari et mauvais père, pour semer pareille haine… Mais enfin ! N'ai-je pas conçu huit enfants avec Aliénor ? Peut-on appeler cela un désastre ? Elle restera la plus belle femme que j'ai jamais connue. Lorsqu'elle est apparue au palais de Westminster, après sa libération, sa splendeur m'a même effrayé. Il était normal que je l'enferme. Elle était devenue trop dangereuse. Je me méfie des êtres assez intelligents pour sortir du rang. Mais cette apparition, je l'avoue, m'a vraiment surpris. J'ai mesuré alors combien ma femme était un adversaire à ma taille. Ce genre de découverte s'accompagne toujours d'une pointe d'admiration. Constater l'envergure de son ennemi est une noble surprise. Mais cela reste un ennemi, épouse ou non. Pourtant… L'heure n'est plus aux mensonges, Richard, je peux le dire maintenant : combien de nuits j'ai passées, ignorant le souffle paisible de Rosemonde, à repenser à notre rencontre ! Combien de nuits où j'ai pesté car il fallait neutraliser cette grandeur ! Terrible ironie : j'étais marié à mon égale et, pour cette raison, je ne pouvais pas vivre avec elle. Revenait, sans cesse, ce jour au palais de l'île de la Cité, à Paris, où je l'ai vue pour la première fois. Elle était reine de France, aux côtés de Louis. Je venais rencontrer le roi pour lui prêter hommage. J'ai ânonné le serment, les yeux rivés sur Aliénor. Même toi, Richard, au cœur louvoyant, tu n'as jamais pu te défaire d'elle. Ses yeux gris déteignent sur celui qu'elle regarde, et l'on devient pierre. Or j'étais vent, conquête. Je ne voulais pas être pierre.

C'est ici que Rosemonde a su éclairer ma vie. Mon errante et glorieuse vie de combattant aux jambes lacérées à force de galops, elle en a pris soin. Aliénor gardait les poings serrés ; Rosemonde avait les mains posées sur mes épaules. Elle était faite comme ta mère, peut-être un peu plus frêle. Moi, j'aime les femmes à l'ossature fine, que l'on dirait prête à craquer mais qui, en réalité, est plus dure que l'airain. Bien sûr, de ce côté-là, personne n'égale Aliénor et ses poignets exceptionnellement étroits, et ses chevilles minces, Aliénor et son visage anguleux de chat. Tout est miniature délicate, tout est solide et inquiétant. J'aime les femmes à l'apparence trompeuse. Mais ta mère

allait trop loin, jusqu'à ma hauteur. Rosemonde, elle,
n'aspirait pas au règne. Elle était bienveillante. Auprès
d'elle, je pouvais me permettre un faux pas. C'était
une Aliénor qui aurait baissé les armes. Elle pouvait
s'enchanter d'une rime, sourire franchement, ou pleu-
rer. Pour elle, le monde n'était pas une menace. Elle
allait en paix, quand Aliénor guettait toujours le dan-
ger.

Ta mère, Richard, a toujours fait comme si elle se
fichait de Rosemonde. Je n'y ai jamais cru. Tromper
Aliénor! Personne ne s'y risquerait! Moi, si. Je n'ai
pas l'habitude qu'on me donne des ordres. J'avais fait
mon devoir, fabriquer des héritiers. Quatre fils!
J'avais rempli ma mission. Et joint l'utile à l'agréable,
car, de ce côté-là, Aliénor mérite son rang de femme
parmi les femmes. Mais ce ne sont pas des choses
qu'un fils doit entendre. De la même façon, tu ne
m'entendras pas sur Aélis, ta promise. Oui, j'ai fauté,
oui, je ne me suis pas contenu, oui, c'est indigne pour
elle comme pour toi. C'est tout ce que je te dirai. Tu
ne me verras pas faire pénitence, j'ai horreur des
regrets. Et puis, sois honnête: Aélis, faite pour toi?
Allons. Fragile et pleurnicheuse, élevée dans la soie et
la tristesse, tu serais mort d'ennui. Sans compter son
savoir-faire féminin, proche du néant. Toi qui aimes
les filles d'auberge, expertes et souples, sans d'autres
attaches dans la vie que celles de leurs tuniques, tu
peux me remercier. Je t'ai évité un sinistre mariage.

Tu le vois, Richard, maintenant que je ne suis plus
là, je parviens à peu près à regarder en face ce que j'ai

vécu. Sauf la haine de mes enfants. Je n'ai pas pu m'y résoudre. Qu'ils me défient, c'est dans l'ordre des choses ; qu'ils se liguent avec leur mère, passe encore – je suis bien placé pour connaître l'aura d'Aliénor ; qu'ils lancent une révolte contre moi, c'est même admirable ; mais qu'ils me haïssent, cela est trop dur. Richard, tu me détestes. Mais détester quelqu'un, n'est-ce pas la meilleure façon d'oublier combien on l'aime ? Je suis sans doute trop optimiste. Qu'ai-je fait, sinon être moi-même ? Je suis un combattant, un assoiffé, un roi. Il aurait fallu que je me transforme à la naissance de mes fils ? J'ai gardé le pouvoir, choisi une autre femme que celle qui voulait ma peau : tout cela me fut naturel et donc, j'imagine, impardonnable. Mais attends un peu d'être père, Richard, et tu mesureras la difficulté. Tu verras qu'il n'existe aucune épreuve plus violente. Être père, c'est transmettre tout un trésor, fait de temps, de valeurs et de fierté, et voir un jour ce trésor renversé au sol, piétiné par ceux à qui on l'a offert. Être père, c'est ne rien comprendre. C'est tenter de ramasser ces choses magnifiques, venues du tréfonds de soi, dans un élan d'absolue gratuité, et à l'instant où l'on essaie de réparer, la main de l'enfant arrache et brise, cette fois en mille morceaux. Être père, c'est pleurer face à un coffre vide. C'est avoir puisé dans sa propre enfance ce qu'on croyait être le meilleur et le reprendre en plein visage. C'est entendre le rire de ses enfants devenus démons, et cette horreur déteint, salit le monde : puisqu'un tel basculement a été possible, alors un père ne peut plus lire un livre car il pourrait brûler, ou voir un ciel blanchir – qui sait s'il ne va pas crever au-dessus de sa tête ? Être père, c'est perdre l'innocence.

Le départ

Dans les vergers de Chinon, au petit matin, nous marchons. La voix d'Aliénor monte. Elle ressemble à la lumière de ces heures, d'une pureté tranchante. J'entends le chef de guerre qu'elle a toujours été :

« Richard, voici la situation. Trois royaumes se sont unis pour récupérer nos terres chrétiennes en Orient. La France avec Philippe Auguste, l'Empire germanique avec Frédéric Barberousse, l'Angleterre avec toi. Une armée est déjà partie depuis plusieurs mois, celle de Frédéric Barberousse. C'est la plus grande des trois, deux cent mille hommes. Je reçois régulièrement des nouvelles. Elles sont mauvaises. L'expédition a tourné au désastre. Les Germains ont toujours sous-estimé le chaos. Ils ont des rêves très grands, très organisés, et ils oublient que le désordre se venge toujours de ceux qui le méprisent. En veux-tu une preuve ? À peine les soldats allemands ont-ils franchi le Danube qu'ils se sont aussitôt fait attaquer par les bandits serbes et bulgares. Des embuscades régulières, agrémentées de flèches empoisonnées… Leur loisir favori reste de pendre les ennemis à un arbre, la tête en bas. Aimables guirlandes, n'est-ce pas ? Les soldats de Frédéric ont continué tant bien que mal. Ils sont passés en Turquie, bravant encore le harcèlement des troupes turques. Imagine : l'empereur Barberousse a soixante-dix ans, il essaie de maintenir ses troupes. Elles sont clairsemées, affamées. Elles avancent pourtant, parviennent presque à la frontière syrienne. Le 10 juin, les voici dans une plaine. Elle est fendue d'un fleuve en crue qui vient des montagnes, à croire qu'une bête immense a griffé le sol depuis les cimes. Je te l'ai souvent répété : tu es mon fils, et pourtant, tu seras toujours moins puissant qu'un fleuve. Barberousse met pied à terre. Il a soif. Il se sent faible. Il entre dans l'eau. Il est surpris par le courant. Des mains froides frappent à l'arrière de ses genoux. Il tombe. Le courant pèse sur sa nuque, l'entraîne au fond. Se débattre ne sert à rien. Le poids de l'armure achève le travail. C'est fini. »

Je suis stupéfait. L'empereur germanique est mort ?

« Noyé sous les yeux de son armée. Il a fallu ramener le corps. Les soldats l'ont recouvert de vinaigre. Il a pourri quand même. Les restes ont été inhumés à la hâte, dans la cathédrale d'Antioche. J'y étais lors de la première croisade, avec Louis. Antioche… Quatre cents tours carrées le long d'une muraille comme tu n'en as jamais vu, qui épouse les roches et la montagne. Là-bas, il y a des orangers, un fleuve nommé l'Oronte, et un vent très sec. Tout est ocre. Les hommes sont magnifiques. Ce fut un des rares beaux moments de ma vie. »

Je n'ose pas lui demander quels furent les autres.

« Tu vas partir à ton tour. Philippe aussi. Il manque à son règne un peu d'héroïsme. Et puis, il vient de perdre sa femme. Elle a succombé en mettant au monde des jumeaux morts. Comme tout monarque affaibli, Philippe cherchera donc des victoires. Méfie-toi de lui. Vous avez grandi ensemble, lorsque Louis était en vie, et cela ne l'a pas empêché de te trahir en se rapprochant de Jean. Et n'oublie jamais ceci : tu es son exact opposé. Contrairement à ce que l'on croit, les différences rapprochent les gens, mais lorsqu'elles sont trop prononcées, elles apportent la guerre. »

Trop de ressemblances aussi déclenchent la guerre. C'est ce qui s'est produit entre elle et mon père. Alors, quand peut-on s'aimer ?

« Toi, poursuit-elle, tu agis avec outrance. Tu es le meilleur guerrier, tu collectionnes les filles, tes guerres sont mémorables. Tu es trop sanguin et tu ne te laisses approcher par personne. Philippe, lui, déteste l'excès. Il fuit le faste, se plie aux règles, et préfère rompre un serment plutôt que d'affronter. Il adore trahir sa parole et déteste les livres, sauf la Bible, qu'il récite les paupières closes. Il te voit comme une immense menace. Pas seulement parce qu'il te sait plus valeureux que lui. Mais surtout parce que, incarnant son inverse, c'est toi que préférait Louis. »

L'aveu me perce le cœur. À ce moment, je dois me baisser pour passer sous la branche d'un chêne, et j'ai le sentiment de m'incliner face au souvenir de Louis.

« Vous partirez ensemble de Vézelay, mais arrange-toi pour que tes troupes se séparent vite des françaises. C'est plus sûr. Plus l'Angleterre se tient loin de la France, mieux elle se porte. Tu avanceras entouré d'un petit groupe d'hommes, toujours les mêmes, dont tu es sûr, que dirigera Mercadier. Les Templiers t'escorteront aussi. Tout est prêt. Tu dois maintenant reprendre deux villes qui nous appartenaient, que Saladin défendra bec et ongles : Saint-Jean-d'Acre et Jérusalem. »

La dernière étape avant le départ a consisté à publier les règlements disciplinaires de la croisade. Ici a surgi le souffle que je m'efforçais de contenir, pariant sur la distance pour le laisser vivre, mais qui dut trouver, dans l'imminence du départ, une impatience inattendue. Devant mes sujets, ma voix se fait plus tranchante que je ne l'aurais voulu. J'égrène les sanctions : « Tout homme qui tuera un autre homme sur un navire sera attaché au cadavre et jeté par-dessus bord. S'il le tue à terre, il sera enterré vivant avec lui. Un voleur sera tondu, avant qu'une poix bouillante ne recouvre sa tête. » Aliénor m'observe, un peu étonnée. Et tandis qu'un murmure craintif parcourt l'assemblée, elle esquisse un vague sourire.

Ce souffle de colère me poursuivra de Vézelay à Jérusalem. Il prend possession de moi, précédé de ces rubans d'ombre que la guerre et les tristesses avaient assoupis. Les voilà libérés avec une majesté que je ne peux plus contester. À Lyon, le pont s'effondre sous le poids des deux armées. Les cadavres sont si nombreux qu'ils recouvrent la surface du Rhône. Mes propres cris me poursuivent jusque dans mon sommeil. Plus tard, Mercadier me dira : «J'avais l'impression de voir le Plantagenêt.»

Philippe et moi, nous avons rendez-vous à Messine, en Sicile. Je mets mon armée dans des bateaux à Marseille. Puis, avec Mercadier, les Templiers et un petit escadron, je prends la route de Gênes, Pise, Ostie, Salerne. Mercadier m'observe. Il ne peut pas voir mes fantômes autour de nous, silhouettes vaporeuses et sans plainte, chacun portant un bout de ma mémoire. Le petit corps pâle de Guillaume, au visage de fumée, ouvre la marche, la main dans celle de Mathilde. Mes âmes perdues ne protestent pas quand surgit ma fureur. Ce même souffle mauvais qui me pousse à voler des faucons aux paysans italiens, attaquer un couvent grec et déloger les moines, trousser des marchandes et enfin pousser mes hommes à piller les faubourgs de Messine. Lorsque les habitants se massent sous mes fenêtres pour m'insulter, je m'entends ordonner que l'on brûle le port, saisisse les demeures des notables et charge les potences. Je m'apaise lorsque le roi de Sicile me propose vingt mille onces d'or pour que je parte. Philippe demande sa part, je ne peux réprimer un sourire. C'est évidemment hors de question.

J'obéis à la colère, nourrie des lettres de ma mère que je décachette le soir, seul, dans le parfum des orangers.

Un soir, Philippe écarte d'un geste brusque la tenture rouge, bouscule un tabouret, et se tient devant moi, tremblant d'indignation. Je reste assis, occupé à dépiauter un gibier safrané. Philippe ne crie pas, car, en effet, il est incapable d'excès. D'une voix dure, il me reproche ma violence, mon égoïsme, puis arrive enfin le vrai litige, l'humiliation ramassée en un prénom, Aélis, et ma promesse, non tenue, de l'épouser.

Je pense à l'or amassé dans les coffres. Aux forteresses de Syrie que je découvrirai bientôt. Mais, à l'évocation d'Aélis, je n'y tiens plus. Je ne supporte plus les contraintes. Et puis, j'en ai assez des hommes pondérés qui dissimulent des traîtres. Je préfère la franchise, dût-elle être brutale, car la sauvagerie a le mérite d'être toujours sincère, qu'elle soit de geste ou de mot. Alors je m'essuie la bouche et me redresse. Lentement, j'avance vers Philippe qui ne recule pas mais qui, imperceptiblement, rassemble tout son calme. Je me mets tout près de lui. D'un coup d'épaule, je pourrais le renverser. À voix presque basse, je lui annonce que je n'épouserai pas sa sœur, qu'il m'est impossible d'approcher une femme qui a couché avec mon père, même de force, que certaines souillures ne s'effacent pas. J'ajoute que je préfère les putains aux princesses sales. J'ignore son visage perlé de sueur et je l'informe d'une lettre reçue de ma mère le matin même : elle est en route pour la Sicile, accompagnée de Bérangère de Navarre. C'est elle que j'épouserai.

Philippe lève l'ancre peu de temps après. Il part pour Saint-Jean-d'Acre.

Le même jour, ma mère accoste à Messine. Elle m'amène Bérangère. Ce n'est jamais dit entre nous, mais il est grand temps de fabriquer un héritier, sinon Jean aura les pleins pouvoirs.

Protégée par les meilleurs chevaliers, escortée de ses éternels troubadours, un œil surveillant ma future femme, Aliénor a passé les Pyrénées, traversé la Provence, puis l'Italie. Elle a débarqué à Naples, où Mercadier l'attendait. Maintenant, elle se tient face à moi, dans la nuit chaude de ce printemps méditerranéen. Nous occupons le palais du roi. Il retrouvera les lieux lorsque nous serons partis. En attendant, nous profitons de ce palais tout en coupoles et en porches, qui ressemble à une basilique. Ici, ils ne connaissent pas les murs. La pierre s'ouvre en baie sur les jardins. La cour vit dehors. D'ailleurs, le banquet se tient en terrasse, sous un toit rond, face à la mer. L'air sent le sel et le thym. De légers rideaux frémissent entre deux colonnes antiques. Nous nous tenons un peu gauches, dérangés dans nos habitudes, car, chez nous, on dîne face à un feu dans de hauts châteaux. Du coin de l'œil, j'aperçois Mercadier roucoulant à l'oreille d'une domestique au teint cuivré alors qu'elle se penche pour servir du vin.

Aliénor n'a même pas l'air fatigué. On l'a revêtue d'une robe de samit rose, parsemée de plumes d'oiseau. D'un geste de la main, elle refuse que l'on coupe son vin avec de l'eau. L'officier boit une gorgée, et lorsqu'il atteste que le vin n'est pas empoisonné, les festivités commencent. Le repas s'ouvre sur des fruits d'ici, figues, pêches, citrons. Le défilé des plats est un feu d'artifice. Du safran pour la couleur jaune, de la cannelle pour le brun, de l'orcanette pour le rose. Les poissons ont une perle à la place de l'œil. Les pattes des volailles sont recouvertes d'or, dont l'éclat joue avec celui des rubis cousus sur les robes. J'ai fait chercher partout des lis, pour en recouvrir le sol, mais en Sicile il n'y en a pas. Au dessert, ma mère reprend des dragées, des compotes épaisses et des pétales de rose confits. Elle apprécie même le goût de la bigarade, cette orange très amère dont Bérangère se détourne, habituée aux saveurs espagnoles plus sucrées.

Ma fiancée minaude, elle attend un signe de moi, mais c'est ainsi, les mères ont la faveur du premier regard. À l'instant où les yeux gris d'Aliénor croisent les miens, je sens fondre sur moi une terrible nostalgie, une solitude, celle d'avant mon départ et, peut-être, d'un temps encore plus lointain. Le soulagement de l'avoir vue arriver saine et sauve à Messine et la joie de la retrouver ont disparu. Seule subsiste l'envie folle d'un refuge. La tristesse d'en être privé, de devoir errer comme on cherche un trésor perdu, m'emplit de colère. Peut-être y a-t-il, dans la vie de chaque homme, ce bref instant où l'on regarde sa mère et où l'on se sent seul. J'ai la certitude que ce chagrin disparaîtra à l'instant où elle remontera sur sa nef.

Les domestiques commencent à débarrasser les tables. Nous nous levons pour gagner les appartements privés où nous attendent des épices macérées dans du miel. Aliénor plonge ses doigts, semble se régaler, et je me demande quelle enfant elle fut. Elle discute maintenant avec un officier pour aller visiter demain des plantations de cannes à sucre, il paraît que les îles méditerranéennes en exploitent ; elle veut rendre visite aux épiciers, pour rapporter en France des caisses entières d'épices… Curiosité en éveil, jamais rassasiée, reine, esprit dur et tacticien, plus courageux que tous les mâles autour d'elle, et ce grand mystère qu'elle incarne, voilà ce qu'elle m'évoque tandis que Bérangère, accablée de chaleur, rôtit à mes côtés et ne sait s'exprimer qu'avec des sourires suppliants. Je sais qu'il me faudra attendre l'aube, dans un verger, pour discuter avec Aliénor. De guerre lasse, je me tourne vers Bérangère.

«Comment était la petite?

— De Navarre.

— Ça lui passera. Respire ces citronniers... Le parfum si acide qu'il brûle le nez! Il n'y a pas d'odeur semblable en Aquitaine. En parlant d'Aquitaine, ton frère, Jean, multiplie les perfidies pour la reprendre. Comme je l'avais prédit. Allons, ne te raidis pas ainsi. Concentre-toi sur ton voyage. Tu vas bientôt découvrir l'Orient.

— Très bien, mère. L'Orient.

— Qu'est-ce que cela t'évoque, l'Orient?

— La bataille de Hattin. Savez-vous ce qui s'est passé?

— Dis-le.

— Nos soldats ont dressé leur camp sur la colline rocheuse. Ils n'avaient pas accès au lac, bloqué par les ennemis. Ils ont passé la nuit sans boire, sans rien donner aux chevaux. Saladin, lui, abreuvait ses troupes avec des centaines d'outres d'eau. Il a attendu que le soleil soit au plus haut pour mettre le feu aux broussailles, autour de nos soldats. La fumée noire, âcre, la chaleur, la panique... L'assaut fut facile. Vingt mille hommes exécutés.

— Et nos villes furent reprises. Tu oublies de le dire. Tibériade, Césarée, Jaffa, Nazareth, Ascalon... Saint-Jean-d'Acre. Jérusalem. La bataille d'Hattin a signé la reconquête de Saladin. Que trouves-tu dans les batailles, Richard? Quelle est celle que tu n'oses pas livrer, et que tu rejoues sans cesse au moindre combat?

— On dit que, à la prise de Jérusalem, Saladin a laissé partir les chrétiens.

— Et transformé les églises en écuries.

— Mère, ces musulmans, ce sont de grands guerriers. On ne peut pas leur retirer ça. Ils sont aussi médecins, mathématiciens. Et ils écrivent des pages, nous qui aimons tant les livres.»

Alors une tornade se lève. Quelque chose de trop grand pour moi, que j'ai eu tort de défier, car c'est la première fois que je conteste. Certaines tempêtes ressemblent à des yeux d'ardoise, au calme si profond qu'aucune pitié ne saurait les atteindre. Aliénor me regarde un bref instant et, derrière l'autorité, le maintien, l'outrage que je viens de commettre, je lis aussi une peur. Une crainte inédite, celle que je meure peut-être, ou de ce qui nous attend, après tant d'épreuves. Ce voile disparaît aussitôt. Il me semble que le matin est à nouveau paisible. Ma mère reprend sa marche dans le verger, comme si de rien n'était.

«Tu débarqueras à Saint-Jean-d'Acre. Cela fait deux ans que les nôtres l'assiègent. La forteresse est très solide. Elle dispose d'une garnison puissante, de nombreuses provisions, et Saladin parvient à nous repousser. Les renforts sont arrivés d'Italie, du Danemark, de Hongrie, d'Angleterre, de France, sans parler des Templiers. Rien à faire. Saladin nous refoule et Acre résiste. Nos soldats n'ont plus rien à manger. Ils broutent des racines et dévorent leurs chevaux. Tu es très attendu.»

La première chose que je vois est le château de Marqab, sur la côte syrienne. Mon bateau longe ses remparts. À l'intérieur se trouvent une garnison de mille hommes et cinq ans de nourriture. La forteresse se dresse sur un éperon rocheux, en hauteur. Je glisse sur l'eau et passe devant mon rêve. Je ne demande pas d'accoster, je reste sur le pont, parfois les rêves sont faits pour être juste aperçus. Plus tard, j'apprends que Marqab appartient aux Hospitaliers, que Saladin n'a pas réussi à le prendre. Tous les châteaux que je verrai me rappelleront celui-ci, splendeur de pierre qui prend son élan, tend son énorme cou vers le ciel. Que voit-il, ce ciel chanceux, lorsqu'il contemple d'en haut ces forteresses ? Un visage. Une bouche immense, faite d'un double anneau d'enceintes, des tours aussi sombres qu'un regard, gouffres sans fond, reliées entre elles par des gaines de pierre dont la finesse évoque de longs cils. Mes ingénieurs m'expliquent que ces bastions chrétiens doivent tout aux musulmans. Nous avons copié leurs ruses. Je pense à Antioche et sa muraille jalonnée de quatre cents tours ; à Damas, jamais conquise, et devant laquelle Louis dut plier après quatre jours seulement de siège. Chaque soir, à la lumière des torches, je dessine mon Château-Gaillard qu'un jour je ferai construire. Il sera fait de rêves aperçus en bateau.

Le 8 juin 1191, après une interminable traversée, les rivages de Saint-Jean-d'Acre voient se dessiner, sur la mer, mes vingt-cinq navires chargés de centaines de chevaliers et de leurs montures, de projectiles, de vin, de vivres pour huit mois et de fourrage en abondance. Des milliers d'hommes hagards se lèvent, d'abord hésitants. Puis mon nom roule de bouche en bouche et finit par éclater par-dessus ce camp misérable, repris par les hommes de Philippe, qui n'a pas eu pareil accueil. Les trompettes résonnent. Des feux s'allument, l'attroupement devient cohue. Les Templiers se sont mis en rang de part et d'autre du ponton. Nous mettons pied à terre. Mercadier, juché sur des épaules, secoue déjà un tonneau de vin. Moi, je reste immobile. Debout sur le quai, je jauge ma sublime ennemie, mon imprenable.

Alors te voici, forteresse. Tu es bien la preuve que, ici, la pierre pousse comme une plante. Laisse-moi te découvrir. Tes flancs sont recouverts de glacis. Mes sapeurs ne pourront pas creuser pour que tu t'affaisses. Derrière ton énorme porte, je devine que ton entrée est coudée. Impossible, donc, de charger au bélier. Et peut-être que l'inclinaison de tes pentes a été pensée pour qu'un cheval au galop ne puisse pas prendre de la vitesse. C'est probable.

Au sud, tu es protégée par la mer. Au nord et à l'ouest, tes murailles se rencontrent pour former un angle droit, où tu as bâti un fort qu'on appelle la tour Maudite. Tu as intégré à ton enceinte un énorme rocher, exposé à l'est, qui supporte un autre fort, la tour des Mouches. Tu possèdes deux portes. La première donne sur le port, la seconde sur un mouillage exposé au vent redoutable de l'Ouest. Tu as donc su habilement utiliser le vent, la mer et la pierre pour te défendre.

Tes murailles sont épaisses de plusieurs couches. Tu as prévu des ouvertures de tir très hautes pour que tes soldats puissent viser le sol. Tu ne possèdes pas de donjon, ce n'est pas dans ta culture. Mais tu as construit un système de défense étagée, de façon que personne ne t'approche.

Derrière les murs, je devine plusieurs cours, des citernes souterraines, des canalisations, des réserves de nourriture. Et dix mille hommes prêts à nous mettre en pièces, à peine affaiblis par deux années de siège.

Si je résume, tu t'es organisée pour que personne ne perce tes murs. Tu sais te protéger. Tu punis ceux qui t'aborderaient frontalement. Tu portes en toi des cachettes, des stratagèmes secrets, et ton endurance fait ta force. Très bien. Je connais ce genre de tempérament. C'est celui de ma mère.

Les hommes se figent. Ma voix a couvert le vacarme. C'est la même voix qui égrenait les sanctions avant le départ, assez menaçante pour que les soldats hilares se transforment en poupées cuisant au soleil. Je veux mes ingénieurs au travail, immédiatement. Qu'on monte les catapultes, les échelles et les tours d'assaut, qu'on décharge ces pierres polies que j'ai rapportées de Messine. Tous les Templiers postés sur la côte seront rappelés en renfort. Je veux des géomètres et des charpentiers d'ici. Qu'on les couvre d'or pour qu'ils nous transmettent leur savoir. Qu'on attaque tous les navires ennemis qui passent à proximité, qu'on trie les prisonniers, pour me ramener leurs hommes de science. Ceux qui refusent de collaborer seront tués.

Ainsi, le soir même, une centaine de barbus se tiennent devant moi. Mercadier les surveille. Ces hommes deviendront les miens. J'ai besoin de leur savoir-faire que je rapporterai en France. Ils savent creuser, polir, monter un barrage. Ils étaient cordiers, ferronniers, forgerons pour la plupart, mais certains pratiquent la médecine, les mathématiques ou l'art militaire. L'un d'eux passe la nuit à m'expliquer comment sont fabriqués les cimeterres. Au matin, je sais comment produire cet acier si résistant. Je mets à la disposition de cet homme des feux et d'énormes cuves. Il apprendra à mes troupes comment mêler, tremper et forger l'alliage du fer et du charbon. Un autre, prénommé Hakim, est médecin. Il parle très bas. Je lui demande d'arpenter le camp pour guérir les soldats malades. De loin, je l'observe se pencher sur les mourants, soutenir leurs nuques, attentif, avoir des gestes que j'ignore, étrangement doux, sortir fioles et potions, tandis qu'autour résonnent les bruits de marteaux, les cris et le grincement des cordes qui hissent les palissades. Dans les ateliers, l'odeur de cuir est si forte qu'on croirait de l'urine. Sous une tente, des hommes tracent des plans et font naître des machines prodigieuses. Leurs calculs portent sur l'équilibre, le déplacement, le contrepoids. Ces machines prennent forme. Elles portent un prénom, comme les cloches de mon pays. La grande catapulte s'appelle le Mauvais Voisin, l'échelle d'assaut à grappins, le Chat, et j'ai l'impression de commander un carnaval lorsque je lance le début des attaques. Les catapultes se cambrent et crachent leurs pierres. Elles sont si souples et maniables que les hommes les rechargent jour et nuit, des mois s'il le faut. Les échelles sont posées à l'angle de la forteresse, recouvertes de cuir et de peaux de bêtes, le seul moyen pour éviter qu'elles ne s'embrasent sous le feu grégeois, que les combattants balancent depuis les murailles. Les tours d'assaut avancent sans relâche, et si l'une s'écroule, une autre surgit aussitôt derrière. Pour l'instant, chaque brèche formée dans les murailles, chaque petite avancée est repoussée par les troupes de Saladin, renforcées d'une relève égyptienne et des troupes du seigneur de Mossoul. Mais mes hommes s'accrochent et torpillent sans relâche. Déjà, Saladin n'a plus la maîtrise de la mer. Il ne peut plus ravitailler la ville. Et celle-ci, manquant d'eau, renonce à inonder le terrain pour embourber nos tours.

Une nuit, Saladin décide d'attaquer directement nos machines de siège. Il pénètre dans le camp. L'alerte est donnée. Je bondis, retrouve Philippe et Mercadier, mais nous avons à peine le temps de nous précipiter que les troupes ennemies ont reculé, battues par les premières lignes de nos soldats.

J'envoie un message à Saladin, pour le rencontrer. Il refuse.

Désormais les catapultes alternent lancers de pierres et de charognes. Les cadavres putréfiés de vaches et de chevaux s'élancent dans l'air, parfois une patte se détache, mais l'essentiel est qu'ils tombent derrière les murailles afin de propager une épidémie. Puis je demande aux géomètres d'étudier l'emplacement des puits pour les empoisonner. Philippe tente de s'interposer, il suggère quelques idées, essaie de diriger mes hommes. C'est inutile. Ma belle forteresse va plier. Il faut encore deux mois d'assauts répétés chaque jour, de pierres percutant les enceintes, pour qu'elle donne ses premiers signes de faiblesse. Mes razzias de Sicile et de Chypre nous ont donné assez de richesses pour ne manquer de rien, ni d'hommes, ni de munitions, ni de victuailles. Et puis nous avons le temps. Saladin le sait. Pourtant, il veut continuer la lutte. Ce n'est pas l'avis du gouverneur de Saint-Jean-d'Acre. Il supplie Saladin de capituler.

Le 12 juillet, je reçois un message des assiégés. Ils se rendent, contre l'avis de Saladin. Ce dernier, horrifié, voit mes bannières soudain plantées sur les murailles. En homme d'honneur, il s'incline devant la décision des habitants. Il évacue son camp pour le déplacer sur la route de Sephoria, à l'écart. Je le laisse faire. J'organise notre rencontre. Nous allons négocier ma victoire.

Nos armées sont maintenant face à face. Entre nous, la muraille éventrée de Saint-Jean-d'Acre, coulant ses pierres comme des entrailles. Le vent fait entendre son murmure gonflé de sable. Saladin et moi nous détachons des rangs. Nos chevaux s'approchent lentement. Derrière moi, mon armée veille. Mercadier est au premier rang, prêt à intervenir. Philippe, l'œil maussade, bouillonne de rage. Il aurait voulu être à ma place. Mais c'est moi qui ai fait tomber la ville, et c'est moi que l'ennemi veut rencontrer.

Saladin avance vers moi, buste mince, tunique bleue, la tête surmontée d'un turban. Nos montures se croisent et s'arrêtent. Nous parlerons chacun à notre tour, le visage tourné vers l'armée adverse. Je ne vois que son profil. Il ne regarde pas mes hommes, mais le lointain. Visage sec, sourcils minces, peau mate, creusée au niveau des mâchoires, barbe brune. Ainsi, le voilà. Je parle le premier. Ma voix n'est pas aussi dure que je l'aurais voulu :

« Acre me sera livrée avec tout ce qu'elle contient, ses navires et ses réserves militaires. Je veux deux cent mille pièces d'or, la libération de mille cinq cents prisonniers chrétiens et la restitution de la Croix. Alors, j'épargnerai les assiégés. »

Il semble à peine m'entendre, les yeux perdus au loin. Dans le grand silence, il murmure comme s'il était seul :

« C'est donc vous, Richard Cœur de Lion. Même mon peuple reprend le récit de vos exploits. Grand combattant, grand cavalier. Vous venez d'une lignée féroce, je crois. J'ai entendu parler de votre mère.

— J'ai Saint-Jean-d'Acre.

— Indocile, n'est-ce pas ? Elle ne se livre pas au premier venu. Il faut du temps, et une certaine intelligence, pour pouvoir l'approcher.

— Saladin, avec le respect que je vous dois. Vous avez perdu.

— Pas encore complètement. »

Il se tourne et me fixe. Alors je comprends qu'il est malade. Ses yeux, ourlés d'un trait noir, sont striés de minces filets rouges. Sous son turban, je suis prêt à parier qu'il ne lui reste plus un cheveu, tout comme il doit avoir perdu ses ongles – il porte des gants. Je connais ce mal, il a décimé mes troupes. Derrière lui, je comprends aussi que la silhouette veillante est celle de son frère. Saladin suit mon regard. Puis il m'adresse un bref salut de tête et tourne bride.

Le soir même, je lui envoie Hakim.

Salut à toi, mon fils. J'ai reçu ta lettre. Visiblement tu t'es converti au rêve oriental… Mais gare aux chimères. Ce jihad dont ils se réclament, et qui t'intrigue tant, a des visées bien plus politiques que religieuses. Saladin a beau être pieux, il me semble évident que cette guerre sainte favorise grandement ses ambitions personnelles. La foi lui permet de légitimer les attaques, la prise des villes, et ainsi asseoir sa suprématie. L'homme est érudit, courageux, entier, pénétré d'une incontestable foi. Mais l'homme de pouvoir n'est jamais loin de son double de religion.

Mère, et si c'était plus simple que cela ? Si l'on pouvait croire en une union des chrétiens et des musulmans ? Ici, les gens citent un haut fonctionnaire musulman qui a visité nos terres. Il a observé que les populations locales ont pu garder leurs biens. Que les impôts prélevés sont minimes. Il dit même, je cite de mémoire : « Les musulmans louent la conduite des Francs qui sont leurs ennemis. »

Celui que tu cites s'appelle Ibn Jubayr. Il a, en effet, traversé les États chrétiens de retour d'un pèlerinage à La Mecque. Et il appelle les chrétiens des «porcs». Sur un message que nous avions trouvé lorsque j'étais en Orient, nous sommes appelés des «chiens». Et ton cher Saladin a écrit à l'émir du Yémen : «Nous devons utiliser toute notre puissance contre les Francs maudits.»

Et n'a-t-on pas, ici, traduit le Coran pour expliquer combien ce texte était inférieur à la Bible? Mère, je vous cite l'abbé de Cluny: «Qu'on donne à l'erreur mahométane le nom honteux d'hérésie ou celui, infâme, de paganisme, il faut agir contre elle.»

Voilà, Richard, pourquoi j'estime la foi et déteste la religion. La première grandit l'homme, la seconde l'affole. La foi est une affaire intime. Et l'intime, par définition, n'est pas une question collective. Il n'y a que la religion pour décider qu'une croyance personnelle, profonde et secrète, doit sortir du cœur et se muer en système de régence. L'hérésie, elle est là. Lorsqu'on décide qu'un sentiment deviendra texte de loi. Alors, seule la religion peut faire passer des atrocités pour des bienfaits. Nos descendants le vérifieront à leurs dépens. Car, pour l'instant, je te le concède, cette notion de jihad, malgré sa violence, est utilisée par des hommes d'honneur. Des guerriers intelligents et cultivés, tels que le furent Zanki, Nur al-Din, et tels que le sont leurs héritiers, Saladin et son frère al-Adil. Certes, ils en font, de façon hypocrite, un argument de conquête. Mais ils combattent face à face, et valeureusement. Le vrai danger commencera lorsque d'autres reprendront cette idée de jihad. Ceux-là se terreront dans des grottes et vanteront le courage. Ils ne croiseront même pas les yeux de leurs victimes. En règle générale, la folie ne naît jamais d'un texte, mais de celui qui le lit. Or Saladin et ses hommes savent lire. Que se passera-t-il avec les autres ?

Mais vous ne pouvez pas ignorer les églises qui servent aussi de mosquées. Ni non plus les quartiers juifs, musulmans et chrétiens de Jérusalem !

Enfant naïf ! La générosité est toujours un accident de l'histoire. Ou bien la ruse d'un esprit pragmatique. Rien qui ne dure longtemps. La religion ne tolère que le même. Elle veut l'identique. Encore une grande différence avec la foi, qui, elle, se moque des différences, puisqu'elle est implantée en silence, dans le tréfonds de chaque âme, et qu'elle s'épanouit hors des règles. Tu le vois bien, en voulant extérioriser l'intime, la religion fabrique une mise au pas. Il ne faut jamais révéler au jour ce qui est caché. Les grandes choses se font dans le creux du cœur, à l'abri des regards. Viendra un temps où il faudra tout dire et tout montrer. Alors l'humanité sera perdue, car, sans secret, l'homme perd sa force.

Est-ce pour cela que vous ne vous livrez jamais ? Que vous ne donnez rien, sauf des ordres ? Que vous vénérez les mots des poètes pour ne pas prononcer les vôtres ?…

Des mois plus tard, viendra le manque de ma mère. Je la voudrai comme on veut sa part d'enfance, moi qui n'ai jamais été petit garçon. Je serai l'amputé d'un temps. Moi, le roi, l'espace d'un instant qui durera des nuits, je ferai partie des dépouillés, appelant ma mère comme on demande justice.

Mais avant cela, j'aurai profité du grand règne. La prise de Saint-Jean-d'Acre me consacre roi parmi les rois. Philippe ne le supporte pas. Il décide d'abandonner et de rentrer en France. Je l'accompagne sur le quai. Nous regardons le bateau. Les voiles semblent parcourues d'un léger frisson. Ce sera une traversée sans danger.

Nous n'avons pas parlé depuis longtemps. Mais, au moment de monter sur le pont, nous avons cet échange, mots d'éclaboussure et de catastrophe. Je joue la franchise :

« Tu as peur que je ne te tue, Philippe. Je le ferai si tu touches à l'Aquitaine. »

Il pivote lentement vers moi. Il a beaucoup maigri. Coupé ses longs cheveux blonds. Envers moi, il n'est plus qu'une immense rancœur.

« Tu m'as écarté des manœuvres et des combats. Je t'ai regardé faire et j'ai perdu l'estime de mes hommes. J'ai aussi perdu une sœur, Aélis, qui devait être reine mais restera une ombre, à cause de ton rejet. Il ne te suffit pas de gagner, Richard. Il faut aussi que tu humilies.

— Ne touche pas à l'Aquitaine.

— Tu veux dire à Aliénor d'Aquitaine. Allons, tu es roi d'Angleterre. Sois tranquille. Je n'y toucherai pas. »

À cet instant, je sais qu'il ment. Et je sens se lever les rubans d'ombre, très loin au fond de moi (d'où sortent-ils ? J'étais sûr de les avoir laissés sur un rivage). Ils épaississent et débordent jusqu'à obscurcir le ciel d'une poudre noirâtre dont la teinte plus obscure laisse deviner des yeux, que je jurerais nimbés d'une nuance d'opale, regard vert d'un roi qui fut mon père et qui affronta le regard gris de ma mère. Vert contre gris, marais contre armure, racine contre ciel d'orage, et moi, moi dessous, face au brouillard qui approche. Il enveloppe mon sommeil, raidit mon corps d'une colère dangereuse et charrie l'image de ma mère enchaînée après notre défaite, enfermée dans la tour de Salisbury, ma mère en ses terres qui, pourtant, sait qu'elle va être attaquée, ma mère qui flaire et prévoit, saura évidemment se défendre, mais ma mère menacée par Philippe. J'oublie la victoire de Saint-Jean-d'Acre et tout ce qui fait de moi un homme noble.

Je tourne les talons.

Pendant des jours, je me laisse envahir. Lorsque j'atteins le bord du précipice, je convoque tous mes hommes et leur ordonne d'exécuter les familles de Saint-Jean-d'Acre. J'ignore la stupeur et, pour certains, comme Mercadier, la stupeur horrifiée. Il y a des maris, leurs femmes, leurs enfants, elles sont près de trois mille, je le sais. Cette fois je hurle, qu'on amène ces gens et qu'on les assassine. Je veux la mort des familles.

Tandis que mes hommes prennent place dans la ville, les habitants nous observent, inquiets. L'accord que j'ai passé avec Saladin leur garantit la vie sauve. Mais à voir mes soldats former les rangs, à tous les points stratégiques de Saint-Jean-d'Acre, ils se prennent à douter. Les herboristes, les bijoutiers, les marchands de fruits et légumes rangent leurs étals. Les places se vident. Seuls les auvents ondulent doucement dans l'air chaud. Un chien joue du museau avec une grenade, laissant une traînée de jus. J'avance dans une rue en escalier, toute de poussière et de silence, je passe devant des portes doublées de planches en bois. J'avise une maison au hasard. J'enfonce la porte. Je cherche une chambre, n'importe laquelle. Elle se trouve à l'étage. Je m'assieds sur un fauteuil sculpté, aux accoudoirs en forme de serpent. J'hésite à ouvrir un large coffre serti de nacre, puis me ravise. Derrière un voile blanc suspendu au plafond, comme émergeant d'un brouillard clair, je distingue un grand lit. Une fenêtre à l'ovale fin, surmontée d'une dentelle de bois, donne sur une place où sont postés mes hommes. Je me penche. Je leur fais signe qu'ils peuvent commencer.

La grande tuerie a lieu. Je reste assis dans la chambre, l'épée posée sur mes genoux. De temps en temps, je la caresse. Je suis dos à la fenêtre et les bruits me parviennent. Hurlements cristallins, vociférations des hommes qui tentent de faire barrage, silence des petits transpercés. En haut, très loin au-dessus de la mer, mon père se détourne. Lentement, les rubans d'ombre s'amincissent et reculent. J'attends le moment où ils rentreront dans leur tanière. J'attends une bataille comme on guette une amie, le seul endroit du monde où la mémoire cède la place au geste, où mon épée et moi, nous décidons du destin.

Elle arrive par le biais de Mercadier. Il tient un rouleau dans la main. C'est un message de Saladin qui a eu vent du massacre. Il me fixe le lieu de sa vengeance, sur une plaine au nord d'Arsouf, protégé par les forêts qui descendent jusqu'à la mer. Je me lève. Il est temps de vivre à nouveau. Mais Mercadier bouge trop lentement pour ne pas attirer mon attention. Je l'ai vu saoul, ivre de rage, couvert de sang, en armure, nu, renversé de rire, contre une fille, seul, mais jamais ainsi. Ses petits yeux disent un vertige et une lassitude. Mercadier vient d'assassiner trois mille familles.

« Uniquement les hommes, me dit-il dans un souffle. Châtiez-moi pour n'avoir pas appliqué vos ordres. Mais les femmes et les enfants, je n'ai pas pu. »

Je lui serre l'épaule, qu'il a plus large que moi, me dirige vers la terrasse. La voix de Mercadier résonne. Caverneuse, un peu éraillée, je la connais si bien. À cet instant, elle se brise.

« Mon roi. J'ignore ce qui s'est passé lorsque Philippe est parti, mais vous avez marché comme un homme qui veut la guerre. Donc vous l'avez provoquée. Saladin ne peut pas rester impassible après ce que nous venons de faire. Vous vouliez l'affrontement, vous venez d'obtenir son lieu, mais à quel prix ? Comment vivrez-vous avec ces enfants ouverts, ces murs rouges ? Dans les rues, le sang a formé des ruisseaux. »

Mais je vivrai très bien, Mercadier. J'y suis habitué. J'ai grandi dans la fureur. Je sais contrer les remords qu'elle engendre. J'avancerai et je tiendrai l'épée. Comme toujours. Je penserai à la vaillance d'Aliénor, elle provoquera ce mélange d'inquiétude et de soulagement qui suffit à me tenir debout. Sur le champ de bataille, je mettrai les archers en première ligne, devant les chevaliers. Les Templiers seront à droite, à l'extrémité méridionale, à côté des barons poitevins. Je me tiendrai au centre, avec mes troupes anglaises, et derrière moi je placerai les Flamands. À ma gauche, je posterai les Hospitaliers. Nous serons là, en groupes rectilignes et serrés, derrière nos grands écus en forme d'amande, aux couleurs de nos royaumes. L'attaque de Saladin commencera en début de matinée, sous un soleil dur. Il enverra de petits escadrons, sans relâche, qui harcèleront la première ligne des archers, puis celle des chevaliers. Ma tactique sera la suivante : ne pas bouger. Résister et reformer les rangs le plus vite possible. Les escadrons de Saladin deviendront très agressifs, les provocations plus fréquentes, avec chaque fois un peu plus d'hommes. Ils chargeront avec des haches. Ils essaieront de contourner l'aile gauche de notre armée, la plus exposée vers la plaine. Mais, selon mes ordres, les Hospitaliers se ressouderont après chaque assaut. Ils vacilleront sur leurs montures mais resteront agrippés à leurs écus déchiquetés, à leurs lances immobiles. Je sentirai l'impatience de mes soldats, les regards interrogateurs des barons. Certains me prendront à partie, crieront leurs doutes. Je ne bougerai pas. Personne ne comprendra que je suis en train d'attendre que l'armée musulmane s'approche le plus près possible. Qu'elle devienne imprudente. À ce moment, je lèverai l'épée. Je hurlerai l'assaut. Les chevaux s'élanceront. Je sentirai l'armée comme un seul corps qui se dresse et s'ébroue, une onde de couleurs et d'acier qui soudain déferle. Dans le regard des ennemis, nous pourrons voir une brève lueur de surprise. Ce sera si terrible et si beau que Saladin, juché sur la colline, ne pourra pas s'empêcher d'admirer.

Et, bien sûr, nous gagnerons.

Il y aura ce matin, dans la lumière liquoreuse qui baigne le port, où je contemplerai la victoire.

Elle est sans saveur et sans haine, la plus belle. La victoire dont les formes épousent si bien celles du monde qu'elle s'y encastre naturellement, pour ne jamais en bouger.

Pendant trois jours, Hakim soigne. Il psalmodie avec des gestes doux, réparant les membres, cousant les plaies. Il sauve plus d'hommes que tous les médecins du camp réunis. Il a l'air épuisé. Il sait que nous allons marcher sur Jérusalem pour tenter de la reprendre à Saladin. Il y aura encore une grande bataille, cette fois plus violente que toutes celles que nous avons connues. Hakim demande à me parler. Je vois arriver un homme sec et majestueux malgré sa tunique sale. Il s'assied sur un coffre. Les mains posées à plat sur ses cuisses, il parle très bas, en regardant le sol :

« Roi. Tu vas te battre pour Jérusalem. Si tu gagnes, j'aurai trahi mon peuple, et cette victoire aura un goût si amer que je ne pourrai plus vivre. Si tu perds, mon peuple me tuera. C'en est fini de moi. Tu peux donc me demander ce que tu veux. »

Alors je passe une longue nuit près d'Hakim, à discuter de nos différences. Il répond poliment, patiemment. Je me fiche de le convertir. J'aime trop cet Orient pour ne pas m'intéresser à ses croyances. Notre échange est si fructueux que je pense, plus d'une fois, à le mémoriser pour l'écrire à ma mère. Hakim se dit choqué par nos mœurs légères et notre cruauté, n'admet pas qu'un fils de Dieu ait pu naître d'une femme. Je lui oppose la polygamie

d'ici, lui demande si couper les têtes de ses ennemis ne relève pas de la cruauté, et lui demande, à
son avis, d'où viennent les hommes et les dieux, si
ce n'est des cuisses d'une femme ? Il se ferme, puis
nous reprenons notre discussion. Lorsque je lui
apprends que, dans mon pays, les cathédrales sont
pleines de couleurs et de monde, du soir au matin,
qu'elles servent de lieux de passage et de marchés,
qu'on y chante comme on y vend, son étonnement
est tel que je ne peux pas m'empêcher de rire. Je
lui explique que, avec les cimetières et les places, ce
sont les trois endroits libres d'accès dans une ville
occidentale. Malgré son air peiné, je lui raconte la
fête parmi les tombes.

Au matin, nous sommes debout dans la poussière, parmi les chevaliers qui sortent des tentes et
s'ébrouent au soleil. Hakim prend ma main et parle
dans sa langue. Il marque des pauses, regarde l'horizon et reprend. On dirait une promesse. Je ne
comprends pas ce qu'il me dit, mais sa voix tremble.
Je le laisse faire. Pour finir, il embrasse ma main.

*Mon fils. Je t'écris cette lettre depuis le prieuré de
Hereford, dans l'urgence. Puisses-tu la trouver avant
qu'il ne soit trop tard. Tu dois rentrer. Je mets ton
retard sur le compte de la saison froide. Tu l'as laissée
passer et tu as eu raison. L'Orient a l'hiver boueux, je
m'en souviens bien, et les pluies n'ont jamais favorisé
les longs voyages. Mais maintenant, il n'y a plus d'ex-
cuse. Jean et Philippe se sont alliés contre nous. Ils ont*

annoncé que tu ne reviendras pas. Le 25 décembre, ils
se sont retrouvés, avec leurs vassaux, à Fontainebleau.
Joli cadeau de Noël… Ils veulent envahir l'Angleterre.
Voler ta couronne. Puis ils viseront l'Aquitaine.

J'essaie de ne pas couper le lien avec Jean. C'est de
plus en plus difficile. Il sait qu'aucun héritier ne se
mettra en travers de sa route, puisque ta Bérangère
n'est pas enceinte. Rentre, Richard. Tu es roi d'Angle-
terre et duc d'Aquitaine. Rentre, sinon nous perdrons
tout.

Je baisse la lettre. Mes lèvres sont sèches. Le vent
claque ma nuque avec l'intransigeance d'un jeune
maître. Et puis il y a les cailloux, la même nature
insensible qu'en Aquitaine. Je l'ai compris, les
voyages n'éloignent de rien.

Mon Aliénor est inquiète, et cela lui ressemble
si peu. Mais elle est perspicace, comme toujours. Il
ne lui a pas échappé qu'ici, dans les guerres, j'avais
enfin la paix.

Philippe m'a donc menti, comme je l'avais pres-
senti. Lui et Jean veulent prendre mon royaume,
mon trône, et la quiétude de ma mère. Elle aura
lutté sans relâche pour obtenir ce qu'elle sait faire
de mieux, régner. Je suis duc d'Aquitaine et roi
d'Angleterre. Qui ose s'attaquer ainsi à celle qui me
fit naître et grandir ? Qui ose me la révéler fragile ?
La colère monte et c'est la caresse de ma mère. Les
souvenirs affluent. L'attaque est si soudaine que
j'en éprouve un léger vertige. Voici, dans un brouil-

lard, Aliénor me montrant du doigt un champ, me racontant l'histoire de son Poitou; ses joues sont roses d'avoir cavalé; j'ai treize ans, le cœur gonflé de fierté. Voici les poètes qui font rougir Mathilde. Et là, l'odeur de la grande salle du palais ducal, à Poitiers, odeur de braises froides et de joncs, ou celle des lis embaumant nos chambres, ou encore celle de l'ambre lorsque Aliénor veilla l'agonie de Guillaume. La voici, les cheveux clairsemés de fils d'or, lors de son mariage avec mon père, en robe rouge, ma mère à qui personne ne manquait de respect.

Alors émergent lentement mes fantômes, frères et sœurs, unis dans la certitude qu'une telle infamie doit être punie. Il ne s'agit pas seulement d'Aliénor, murmurent-ils, puisque nous sommes là. Nous marchons derrière elle. Je plie la lettre. La bataille qui vient aura la volonté de laver un affront. Ce sera Jérusalem. Je m'attaque à la place la plus convoitée, la plus ardue, car il faut que cette bataille soit rude. Mais, au fond, qu'importe l'ennemi ou la ville à prendre. Moi seul saurai ce que j'y mets. Moi seul saurai que, derrière chaque coup donné, il y aura le respect du serment : « Relève ce qui est détruit, conserve ce qui est debout. »

La complainte de la délaissée

Richard, alors que tu t'apprêtes pour une immense bataille, tu n'as pas une seule pensée pour moi. Pourtant, j'étais ta promise. Te souviens-tu de moi, Aélis ? Ombre de ton histoire, fantôme qui ne fait pas partie de ta cohorte. Ta compagnie d'absents m'ignore. Même les poètes n'ont pas jugé mon histoire digne d'intérêt. Je ne laisse aucune trace. Pourtant je suis la fille de Louis VII, le roi de France. Et je devais être ta femme. Je n'ai aucune place sur ton chemin, je ne représente rien. Je suis princesse, choisie pour toi, désormais roi d'Angleterre, et je n'existe pas. Parce qu'un soir de banquet, j'avais douze ans, ton père m'a suivie jusqu'à ma chambre, et tout naturellement, sans brutalité, m'a allongée sur le lit. Je n'ai pas crié – on ne résiste pas au Plantagenêt. L'acte répugnant de ton père s'est répandu dans tout le royaume. L'Église s'est tue, ma famille aussi, et toi, mon futur époux, tu m'as rayée de ta vie. Personne n'en a jamais parlé, comme si le crime n'avait pas eu lieu.

Ce soir-là, après le départ de ton père, j'ai rabattu ma robe, appelé mes servantes pour le rituel du coucher. Et je n'ai plus jamais dormi dans un lit. Tu le sais certainement, car on m'a beaucoup moquée : je suis celle qui pose un plaid de fourrure au pied de ma couche, et qui s'endort ainsi, sur le sol. Parfois, quand le souvenir du souffle ahanant de ton père résonne trop fort, j'enfile une cape, prends une chandelle et quitte le château endormi. Je cherche un tilleul – l'arbre bienfaisant, que l'on plante près des léproseries, des hôpitaux, parce qu'il donne du miel, que son écorce est souple, son bois tendre. Je m'allonge sous ses branches, à terre, et j'attends de pouvoir me reposer. Ici, personne ne vient retourner mon corps, renverser ma vie.

J'ai attendu que tu me venges. Mais la révolte que tu as lancée contre le Plantagenêt ne me concernait pas du tout. Tu as attaqué mon agresseur non pas par amour pour moi, mais par amour pour ta mère. Je n'en tire pas d'amertume, ce serait absurde – Aliénor est bien au-dessus de moi. J'ai été enfermée avec elle à la tour de Salisbury, je m'en souviens bien… Un seul de ses gestes et je me transformais en statue. Elle a ce pouvoir de figer les autres. Et puis, cette repartie cinglante qui est la marque des grands pudiques, ce n'est pas très difficile à deviner… Comment rivaliser avec elle ? Moi, je fais partie de celles qui préparent un bain de sauge, surveillent les cuisines, guettent le galop d'un retour. Je suis faite pour m'occuper d'un mari, pas pour lancer l'offensive contre lui. Ce sont les femmes comme moi que les ogres dévorent. Pour tenir tête au Plantagenêt, et aussi pour occuper ton cœur, il faut des femmes de la trempe d'Aliénor. Je suis perdante, dès le départ. Mais je suis reconnaissante, aussi, envers ces reines. Il faut savoir admirer ce qu'on ne possède pas.

La seule chose que je redoute, c'est que ton amour pour Aliénor ne finisse par t'abîmer. On peut se perdre à chercher trop longtemps un regard. Or elle a des yeux d'armure, qui se défendent de peur de donner. Je t'ai vu multiplier les exploits, dépasser tes limites, lancer l'impensable attaque contre ton père; tu veux toujours plus, et, là encore, après Saint-Jean-d'Acre, il te faut Jérusalem; je t'ai vu avancer si seul, toujours si seul; et derrière ces excès, tristes ou grandioses, je sais qu'il y a, tapie quelque part, la folle angoisse que ta mère se détourne. Garde-toi des attentes, Richard, protège-toi des yeux gris d'Aliénor.

Si je te dis tout cela, c'est parce que, à la veille de cette grande bataille, je voudrais t'offrir le peu de courage qu'il me reste. T'offrir un peu de vaillance malgré mon corps souillé, une enfance triste dans le palais d'île de France. Je n'ai rien de beau à raconter. Je suis aujourd'hui recluse dans un petit château en France, entouré de tilleuls. Je couds, entretiens mon potager. Je rends visite aux paysans, j'aide les nécessiteux. Me tiennent compagnie mes souvenirs de toi, de ce qui aurait pu advenir si tu m'avais épousée. Je ne suis pas femme à me raconter ; mais j'entrevois parfois, en transparence de l'instant présent, le miroitement de mon passé. Il est posé comme une pierre dans l'eau, au fond de ma vie, et donne à la surface une couleur particulière. Les tristesses ne sont pas un fardeau. Elles veloutent mon existence d'une ombre paisible. Je n'ai donc ni gloire ni prestige à te transmettre et j'aurais tant aimé être en Orient à tes côtés ; mais la résignation qui fait aujourd'hui ma vie est aussi une puissance obstinée. Alors je te vois devant ce feu, lisant la lettre de ta mère, et je prends ma place dans votre histoire. Je t'envoie mes regrets, car je n'ai que ça, et mon renoncement, en espérant que leur ténacité t'aidera. La lutte qui vient sera sanglante. Tu peux y laisser ta vie. C'est le dernier geste d'une enfermée, que toi seul aurais pu lever du sol pour la ramener dans un lit : que tous mes chagrins t'accompagnent.

Depuis des semaines, nous tournons autour de Jérusalem. C'est un paysage de collines pelées, desséchées de soleil, d'où j'admire le tapis de toits ocre, les lieux sacrés et surtout le haut de la citadelle de David, où sont stockés l'eau et les grains – un guerrier n'a jamais le regard du croyant, il ne voit que les points stratégiques. De hautes murailles protègent cette ville qui nous appartenait, que Saladin a reprise.

J'ai dispersé mon armée en petits groupes. Chacun doit s'emparer d'une citadelle à proximité. Mes hommes ont attaqué et pris Jaffa, bloqué la route de Césarée, et se sont invités dans un caravansérail qui attendait un ravitaillement prévu pour Jérusalem. À l'instant où le convoi a franchi les hautes portes voûtées, mes hommes ont sauté des escaliers, surgi du haut des terrasses. Ils ont tout pillé. Nous avons maintenant de la nourriture, de l'eau, des nouveaux chevaux.

Pourtant, je commets une erreur. Je tarde à

rassembler toute mon armée pour préparer l'assaut final. Lorsque je comprends ma méprise, je bats immédiatement le rappel. Mais mes soldats sont plus éloignés que prévu. Ils mettront du temps à me rejoindre. Cela signifie que, si Saladin attaque, je n'aurai pas mes troupes au complet.

Il le sait. Il s'organise. Il a obtenu des renforts de Mossoul et galvanisé ses troupes. Il a fait couper les arbres fruitiers au pied de la ville, combler tous les puits.

Saladin choisit l'aube, à l'heure où les vigilances baissent, emportées par des nuits entières de surveillance. Mercadier, qui a le sommeil aussi léger que son corps est large, est le premier à ouvrir un œil. Le ciel rose, l'obscurité d'un bleu clair, puis le scintillement de l'acier dans le soleil levant, des hennissements ; il est debout en un éclair. Il hurle mon nom. Je bondis. L'épée est sur moi, toujours. Mes hommes ne sont pas aussi rapides et s'emparent de ce qu'ils ont sous la main. Derrière les collines, j'entends le piétinement de l'armée ennemie. Ils sont plus de cinq mille. D'un coup d'œil, je mesure ma faute. J'ai cinquante-deux chevaliers armés, quinze chevaux prêts et deux mille fantassins.

Je mourrai peut-être ici, sans sauver Aliénor. Me vient une idée folle. J'ordonne de monter une longue palissade avec les pieux des tentes. Derrière, je dispose mes soldats par paires, les écus devant eux et les lances à la main. Lorsque les chevaux de Saladin sauteront par-dessus la palissade, il faudra lever les lances pour les éventrer.

Entre chaque paire de soldats, je poste un archer. L'objectif ne sera pas d'agresser, car nous sommes trop peu nombreux, mais de repousser. Sur ma monture, alors que s'approche la cavalcade des ennemis, je harangue mes troupes. Ma voix porte bien après les collines. Je brandis les armoiries royales. Je rappelle l'engagement pour la terre, les serments chevaleresques – «Tu aimeras le pays où tu es né» –, et, à ces mots, les mains serrent les pommeaux. Je répète les consignes, ne surtout pas lancer d'offensive mais faire barrage, serrer les rangs, à la gloire de l'épée, notre seule famille.

À l'instant où je prononce ces mots, Saladin attaque. Trois premières charges de mille hommes chacune. J'ordonne aux archers de se mettre en première position. Leurs flèches sont en bois d'if dont le suc est poison, cet if planté dans les cimetières, qui propage la mort. Mes archers tirent et reculent. Alors les premiers chevaux ennemis sautent par-dessus la palissade, les lances se lèvent et ouvrent leurs ventres. Un hennissement terrible, l'étoffe des turbans dans un halo de poussière, puis mes soldats reprennent leurs lances et attendent les suivants.

À la quatrième charge de Saladin, je suis en première position pour repousser les hommes. Je suis rempart, moi qui n'ai pas su protéger le plus important. Je fais dans la guerre ce que je ne sais

pas faire dans la vie. La menace planant sur Aliénor, le souvenir de ma famille dépecée me soulève
et me pousse vers une fureur redoutable. À la sep-
tième charge des ennemis, mon écu n'est plus qu'un
amas de bois et ma monture, exténuée. Sans peur,
j'avance dans la mêlée. Mes meilleurs chevaliers
me suivent. Nous sommes devenus un barrage de
chevaliers hurlants, l'épée virevoltante. Autour de
nous, les membres des ennemis voltigent tandis que
les chevaux, bien entraînés, se cabrent quand il le
faut. Derrière, mes archers tirent sans relâche. Mes
fantassins continuent de lever leurs lances à l'instant où les ennemis sautent. Les animaux ouverts,
à demi couchés sur les pieux, offrent une protection supplémentaire. Les Sarrasins sont achevés et
mes soldats récupèrent leurs armes. Très vite, ils en
ont une dans chaque main. Notre mur de chevaux
morts tient bon.

À l'avant, nous tuons comme des diables. Je vise
d'abord les têtes. Vient le moment où ma monture
s'affaisse, touchée à la cuisse. Je me dégage des éperons, vite, bondis en position de combat. Un instant
plus tard, je distingue une silhouette qui avance en
tenant un cheval superbe, à peine effrayé. C'est un
écuyer. Que fait-il ici ? Son turban est imbibé de
sang. Il marche d'un pas chancelant, évite les coups,
tente de se frayer un chemin dans la guerre. C'est
un miracle qu'il arrive jusqu'à moi. J'attrape les
rênes. Cadeau de Saladin, m'indique l'écuyer avant
de s'écrouler. Saladin, quelque part dans la bataille,

ou bien juché sur une colline, a ordonné que l'on m'amène une monture fraîche.

Mercadier a le cheval touché lui aussi. Il a mis pied à terre. Il tourne sur lui-même. D'une main, il retire son épée d'une poitrine et de l'autre, éclate un crâne de son poing. Il flaire le coup suivant – la marque d'un grand combattant, anticiper. Nous pataugeons dans un mélange de terre et de sang. Nous sommes des bêtes vociférantes, le poil hérissé par l'instinct. Mon nouveau cheval tourne en toupie folle, je sens qui va taper et où, mon poignet tient fermement l'épée qui n'en finit pas de plonger dans les gorges. Les heures passent et mes hommes ne cessent de tuer tandis que, à l'arrière, on repousse. Quelques ennemis parviennent à franchir la palissade. Mes barons ont posté des hommes qui tranchent les pattes des bêtes et achèvent les imprudents. On entend des cris de guerre qui se finissent en hoquets. De partout résonnent mon nom et celui de notre royaume. Mercadier m'appelle mais sa voix tremble d'un avertissement. À l'instant où je pivote vers lui, j'aperçois la lame d'un poignard prête à me tuer. Mercadier plonge vers l'homme dont il transperce le dos. Il se relève, tenant par le cou le corps convulsant. Il le tend vers moi. Je reconnais Hakim.

Le jour décline. L'air se rafraîchit. Nous sommes toujours en rage. Mercadier s'est saisi d'une hache. Les chevaux dérapent sur les corps. Moins d'énergie, bien sûr, mais autant de hargne. Depuis quand durent les combats ? Je ne sais plus. Jamais je n'ai tenu mon épée de cette façon. Elle est ma main, ma peau, une partie de moi. Si ma mère se tient toujours au bord des choses, prête à les défier au lieu de les accueillir, moi je suis dedans, pleinement. La bataille m'offre l'instant présent, sans hésitation ni demi-mesure. M'offre le souvenir de mon père, car mon père, à l'opposé de ma mère, ne pouvait se détacher de l'émotion première, prenait si peu de recul que les événements faisaient de lui leur jouet, le broyaient à leur guise, le chiffonnaient et le renversaient au sol – comment expliquer ses colères éructantes, dont j'ai eu honte si longtemps ? Alors oui, je tiens aussi de lui, mais cette proximité me sauve sur les champs de bataille, elle est ma meilleure alliée. N'en prenez pas ombrage, ma mère ; mais pour fendre deux hommes, dresser son ouïe et piquer avec la rapidité de l'aigle, il faut être impulsif, court d'esprit, ne penser qu'à soi – être Plantagenêt. Et je le suis. Je suis le fils de mon père sur le champ de bataille uniquement, pardonnez-moi, ma mère, la guerre est pour moi une déclaration d'indépendance envers vous, mon épée proteste contre l'amour que je vous porte, et prend mon parti, annonce ma liberté.

Je m'assure que la palissade est toujours vaillamment défendue lorsque, soudain, inattendue, la voix d'un commandant de Saladin surgit du ciel. Une voix puissante, rauque, couvrant l'enfer, dont nous comprenons immédiatement l'intention.

La retraite.

Alors les ennemis subitement tournent bride. Les autres, en plein corps à corps, peuvent espérer avoir la vie sauve. Certains blessés rampent vers les collines. D'autres avancent en titubant puis s'effondrent. Nous restons étourdis, le souffle court, l'arme aux aguets. Il me semble que cela dure une éternité. Puis Mercadier se tourne vers moi. Il relève son heaume. Sur son visage tacheté de sang, se dessine un grand sourire.

Je n'ose y croire. Mes hommes avancent, hagards, d'autres tombent à genoux. Je m'appuie contre le flanc d'un cheval mort et j'ai le sentiment qu'il me ressemble. La fatigue s'abat comme une chape de fer. Je reste cou baissé, haletant. Mes pieds sont enfoncés dans une vase ocre et rouge, constellée d'épaisseurs sombres. La terre après la bataille. Dedans, on a planté ma bannière d'un geste lent. La brise défroisse doucement le tissu, déployant le lion d'or sur le ciel rose. Je relève la tête. Résonnent des rires, d'abord timides, puis ils montent et c'est un concert tonitruant. Plus personne n'a la force de se tenir debout. Alors on hoquette, la tête entre les jambes ; on s'écroule, roule sur les corps, on reste allongé sur le dos, les paumes ouvertes, hilares et sanglotants, la tête renversée sous la lune.

Cachée dans la doublure de ma tunique, sur ma poitrine secouée d'un rire épuisé, il y a la lettre d'Aliénor.

Il est temps de trier les corps. Les nôtres auront

une sépulture. D'un geste du menton, Mercadier me désigne Hakim. Il est allongé, le dos balafré, la tête enfouie dans la boue. Je pense à la dernière fois où il m'a parlé, ma main dans la sienne. Sa voix tremblait de reconnaissance.

« Peut-être pas, dit Mercadier. Peut-être qu'il vous prévenait qu'il allait vous tuer. »

Je regarde sa main qui gît, à moitié ouverte. Si Mercadier dit vrai, Hakim était donc un homme de parole. Il sera enterré avec les nôtres.

Maintenant, il me faut annoncer ma décision. Je vais affronter la fureur de mes hommes. Nous n'occuperons pas Jérusalem. Nous rentrons.

« Rentrer ? Mais, Roi ! Jérusalem est là ! À quoi aura servi ce que nous venons d'accomplir ? »

Je m'y attendais. Je fais face. Mes barons sont hors d'eux. Je viens de leur expliquer que, si nous nous installons à Jérusalem, il n'y aura personne pour en être le roi. La déception est la plus forte. On me reproche de ne pas tenter. J'essaie de répondre calmement. De ne pas céder à mon envie première, les envoyer paître et lancer le départ. Je tente de poser ma voix :

« Nous pouvons entrer dans Jérusalem, c'est vrai. Et après ? Qui la gouvernera ? Aucun de vous, ici, n'a l'étoffe d'un roi. Alors : reprendre la Ville sainte pour la laisser à nouveau nous échapper ? Je préfère négocier avec Saladin. »

Tollé. J'entends fuser que je suis vendu à l'ennemi, que Saladin a plus d'influence sur moi que mon propre camp. Certains, qui ont combattu avec moi lors de la révolte contre mon père, lancent même ce surnom infamant, «Oc e no». Je me lève et m'éloigne.

Plus tard, sous la tente, Mercadier me sert du vin. Lorsqu'il repose le pot, j'ai peur qu'il ne l'ait brisé. Pourtant, je sais qu'il vient de faire un effort monumental pour agir avec douceur.

«Sans vouloir me méprendre, mon roi. Et juste pour mon savoir personnel. La reine Aliénor serait-elle en danger?»

Elle l'est. Et maintenant que j'ai fait la guerre à mon passé, que je suis victorieux, elle aura le meilleur de moi pour la défendre.

Mais cela, je ne le dis pas. Ma coupe traverse la tente et heurte le front de Mercadier. Il n'a pas esquissé le moindre geste de recul. Alors qu'un filet de sang zèbre lentement son visage, il s'incline, impassible, et fait demi-tour.

Le 2 septembre 1192, l'émissaire de Saladin se trouva face à moi, avec une offre: la paix pour une durée de cinq ans; les villes côtières restituées aux chrétiens; l'accès libre pour les chrétiens aux lieux saints de Jérusalem. S'esquissait, temporairement, une cohabitation entre chrétiens et musulmans. Ainsi se vérifiait l'adage «qui veut la paix prépare la guerre», que d'autres, en des temps futurs, juge-raient barbare. L'émissaire me désigna ensuite des caisses de pêches, de poires, et de neige fondue venue du mont Hermon, «afin de rafraîchir vos boissons, dit-il. Ce présent étant destiné à la reine Aliénor votre mère».

Lorsqu'une flèche d'arbalète perce mon épaule, le 26 mars 1199, bien après mon retour, c'est la première chose qui me traverse l'esprit : je ne boirai jamais la neige du mont Hermon. Je ne verrai pas ces montagnes blanches comme la peau de Mathilde, ne respirerai plus la poussière sèche de là-bas. Puis j'ai envie de rire. Quelle ironie ! Avoir connu ces paysages d'Orient, défié mon père, battu Saladin, et mourir d'une flèche, lors d'un banal siège dans le Limousin ! C'est le cri désespéré de Mercadier qui me fait rouvrir les yeux. Alors je pense à elle.

Au retour de croisade, j'avais été fait prisonnier par l'empereur d'Autriche, qui avait demandé une exorbitante rançon. L'équivalent de deux ans de recettes de l'Angleterre... Pendant un an, ma mère avait chevauché dans toute l'Europe pour réunir cette fortune. Elle avait réussi. J'avais été libéré. Alors, à l'instant où je me sens soulevé de terre, je me dis que, si ma mère a pu amasser la rançon, elle pourra faire en sorte que je vive. Naïveté des mourants ! Et tandis que ma tête roule contre l'épaule de Mercadier, je pense à l'abbaye de Fontevraud, car je voudrais être enterré là-bas, moi aussi, sous les arcades blanches et poudreuses. J'articule mon souhait contre l'oreille de Mercadier qui semble comprendre, à la façon qu'il a de hocher la tête comme un pantin affolé. Mes paupières sont lourdes. On me dépose à terre. Je me demande ce qu'elle ressentira en apprenant ma mort. Sera-t-elle meurtrie ? Serai-je la seule faille de cette mère-muraille ? M'aura-t-elle un peu aimé ? Cette question me traverse l'esprit au moment où l'on me retire la flèche, et peut-être n'est-ce pas un hasard : au fond, mes sentiments envers Aliénor se seront toujours confondus avec la douleur. Alors qu'on découpe ma tunique, j'entrevois l'avenir, limpide, et si je m'agite dans les bras de Mercadier ce n'est pas parce que j'ai mal, mais parce que je voudrais prévenir ma mère, lui dire de tout arrêter maintenant car Philippe gagnera. Sur tous les fronts. Il parsèmera la France de ses châteaux, imposera leur architecture. Il attaquera mon magnifique Château-Gaillard. Mon navire, mon trésor de pierre ! Il mettra un point d'honneur à le faire tomber. Les habitants appelleront mon frère Jean à l'aide. Ce dernier, en Angleterre, répondra : « Faites pour le mieux », et retournera à sa partie d'échecs. Ma forteresse sera vaincue après huit mois de bataille. Dans la foulée, Philippe marchera sur l'Aquitaine. Il incendiera nos forêts. Le 10 août 1204, il entrera dans Poitiers. Ce sera fini. De notre royaume, il ne restera rien. Mais qu'importe. À cette date, ma mère ne sera plus. Elle reposera à Fontevraud, dans ce calme qui lui ressemble si peu. À mes côtés. On la sculptera couchée, les pieds vers l'Orient. Cette statue se tiendra là, sous des voûtes irradiées de lumière. Autour d'elle respirera cette nature aimée et tant incriminée. Or, je le comprends avant de mourir, ce que je prenais pour de l'indifférence était en réalité une majestueuse fidélité. Et moi, l'ignorant, rivé sur mes peines, je n'avais pas compris que la nature n'abandonne personne. Comme l'épée. Comme ma mère. Entre ses mains sculptées, on posera un livre ouvert, de pages blanches. «Cette vie ne fut que voyages et guerres», diront les poètes à sa mort. Je pars avec les livres qui restent à écrire. Car je voudrais qu'on écrive l'histoire d'Aliénor, la femme qui voulut être roi, échoua et devint bien plus encore. La mère qui ne disait rien mais dont les actes révélèrent tant. L'enfant qui enfanta, et enterra – la femme que je n'ai pas su consoler. Je voudrais écrire l'histoire de toutes les mères à la fierté inquiète, qui firent de leur mieux, sûres de vaincre les tragédies. Mes lèvres bougent et Mercadier se penche vers moi, grimaçant de chagrin, pour tenter de saisir mes paroles. Peut-être reconnaîtra-t-il ma chanson de naissance. Ce poème, qui parle autant d'Aliénor que de moi, je tenterai de le chanter pour ne pas mourir seul, pour mourir un peu avec elle.

Les multiples malheurs, les obstacles
Ne l'abattirent pas.
Ni le fracas des mers, ni leur courroux terrible,
Ni le tréfonds du val, ni les hautains sommets,
Ni l'aplomb audacieux, ni les routes rocailleuses,

Ni le sentier battu aux lignes sinueuses,
Ni l'inviolé désert, ni le vent coléreux,
Ni les nuages saouls de leur flot colossal,
Ni l'orage terrible en son ruissellement...

Note de l'auteure

Ce roman, par définition, n'est pas un livre d'histoire. Le temps raconté est celui qui est ressenti par Richard Cœur de Lion, avec les diffractions que ce ressenti suppose.

Je me suis appuyée sur une trame historique avérée, mais j'ai pris aussi certaines libertés. Par exemple, la fleur de lis sur le drapeau royal n'est pas une décision de Louis VII; il n'y a pas encore de donjon à Douvres; la phrase «Relève ce qui est détruit, conserve ce qui est debout» n'est pas un serment de Richard Cœur de Lion; le mot «croisade» n'existait pas au Moyen Âge…

En revanche, d'autres éléments s'appuient sur les travaux d'historiens. Ainsi, les stratégies de bataille de Richard en Orient sont véridiques; le mot «jihad» était employé par Saladin; les colères du Plantagenêt, la tempête de Barfleur alors qu'Aliénor est enceinte, l'histoire de Guillaume, d'Aélis ou de Rosemonde Clifford, ainsi que les chansons et les extraits de lettres cités, ne sont pas inventés…

On pourrait s'amuser à répertorier ce qui relève de

l'imagination ou de la vérité. L'essentiel étant qu'on aurait tort d'opposer la mécanique du roman et celle de l'historien, tant les deux sont complémentaires.

REMERCIEMENTS

À Olivier Roller.
À Martin Aurell et Manuel Carcassonne.

Le Livre de Poche s'engage pour
l'environnement en réduisant
l'empreinte carbone de ses livres.
Celle de cet exemplaire est de :
200 g éq. CO_2
Rendez-vous sur
www.livredepoche-durable.fr

**PAPIER À BASE DE
FIBRES CERTIFIÉES**

Composition réalisée par MAURY-IMPRIMEUR

Achevé d'imprimer en juillet 2019 en France par
Maury Imprimeur – 45330 Malesherbes
N° d'impression : 238570
Dépôt légal 1re publication : août 2019
LIBRAIRIE GÉNÉRALE FRANÇAISE
21, rue du Montparnasse – 75298 Paris Cedex 06

77/1435/0